MAURICE LEBLANC

813 Os Três Crimes de Arsène Lupin

Título original: 813 by Maurice Leblanc

3ª Impressão 2024

Presidente: Paulo Roberto Houch
MTB 0083982/SP

Coordenação Editorial: Priscilla Sipans
Coordenação de Arte: Rubens Martim (capa)
Produção Editorial: Eliana S. Nogueira
Tradução e preparação de texto: Fabio Kataoka
Diagramação: Rogério Pires
Revisão: Cláudia Rajão

Vendas: Tel.: (11) 3393-7727 (comercial2@editoraonline.com.br)

Foi feito o depósito legal.

Dados Internacionais de Catalogação na Publicação (CIP)
(eDOC BRASIL, Belo Horizonte/MG)

L445t Leblanc, Maurice, 1864-1941.
Os três crimes de Arsène Lupin / Maurice Leblanc. – Barueri, SP: Camelot Editora, 2021.
15,1 x 23 cm – (813; v. 2)

ISBN 978-65-87817-12-5

1. Ficção francesa. 2. Literatura francesa – Romance. I. Título.

CDD 843

Elaborado por Maurício Amormino Júnior – CRB6/2422

IBC — Instituto Brasileiro de Cultura LTDA
CNPJ 04.207.648/0001-94
Avenida Juruá, 762 — Alphaville Industrial
CEP. 06455-010 — Barueri/SP
www.editoraonline.com.br

SUMÁRIO

INTRODUÇÃO

Os Três Crimes de Arsène Lupin traz muitas voltas e reviravoltas, a partir de sua vida na cadeia, que chama de Santé-Palace. Mesmo de mãos atadas, o ladrão de casaca não perde a pose e o bom humor.

Artimanhas, manobras bem elaboradas, envolvendo sequestro e chantagem, mas com muita classe e sem violência.

Maurice Leblanc apresenta aqui a continuidade do mistério em torno do número 813, escrito em uma etiqueta encontrada no local de crimes dos quais Lupin é acusado.

Lupin surpreende a todos com sua astúcia. Incidentes diplomáticos na Europa em polvorosa, envolvendo cartas confidenciais de Bismarck, o estadista que unificou a Alemanha.

Nesta série de acontecimentos, temos lances novelescos em torno da vida pessoal do charmoso criminoso, com seu lado passional, atrevido e apaixonado.

As surpresas são incríveis, inacreditáveis!

SANTÉ PALACE

Houve uma explosão de risadas em todo o mundo. É certo que a captura de Arsène Lupin causou grande sensação, e o público não negociou com a polícia os elogios que mereciam por esta vingança tão esperada e tão plenamente obtida. O grande aventureiro foi levado. O extraordinário, o brilhante, o herói invisível definhava, como os outros, entre as quatro paredes de uma cela, esmagado por sua vez por esta força formidável que se chama justiça e que, mais cedo ou mais tarde, inevitavelmente, rompe os obstáculos que se opõem a ele e destrói o trabalho de seus adversários.

Tudo isso foi dito, impresso, repetido, comentado, repetido exaustivamente. O chefe de polícia recebeu a comenda Cruz de Comandante, o Sr. Weber, a Cruz de Oficial.

Exaltaram a coragem e a esperteza dos seus mais modestos colaboradores. Aplaudiram. Cantaram a vitória. Escreveram artigos e fizeram discursos.

Alguma coisa dominava esse maravilhoso concerto de elogios, essa esfuziante alegria; um riso louco, enorme, espontâneo, inextinguível e barulhento.

Arsène Lupin foi o chefe da Sûreté! O chefe de polícia durante quatro anos! E foi chefe de fato, legalmente, com todos os direitos que o título lhe conferia, com a estima dos chefes, os favores do governo, a admiração de todo o mundo.

Por quatro anos a tranquilidade dos habitantes e a defesa da propriedade estavam confiadas a Arsène Lupin. Zelava pelo cumprimento da lei. Protegia inocentes e perseguia os culpados.

E quantos serviços ele prestou! Nunca a ordem fora menos perturbada, nunca os crimes foram mais rápida e seguramente desvendados! Que se recordem do caso Denizou, o roubo do Crédit Lyonnais, o ataque ao expresso de Orleãs, o assassinato do Barão Dorf... tantos triunfos imprevistos e fulminantes, magníficas proezas que poderiam ser comparadas às mais célebres vitórias dos mais ilustres policiais.

Anteriormente, em um dos seus discursos após o incêndio do Louvre e a prisão dos culpados, o presidente Valenglay, para defender a maneira algumas vezes um tanto arbitrária como agia o Sr. Lenormand, disse:

— Por sua clarividência, por sua energia, por suas qualidades de decisão e execução, por seus processos inesperados, por seus recursos inesgotáveis, o Sr. Lenormand lembra-nos o único homem que poderia, se vivo ainda estivesse, enfrentá-lo: Arsène Lupin. O Sr. Lenormand é um Arsène Lupin a serviço da sociedade.

E o Sr. Lenormand não era outro senão Arsène Lupin! Que fosse o príncipe russo, pouco ligavam! Lupin era contumaz nessas metamorfoses. Mas o chefe da Sûreté! Que deliciosa ironia! Que fantasia na conduta dessa vida extraordinária acima de todas! O Sr. Lenormand! Arsène Lupin!

Hoje podemos explicar a habilidade aparentemente miraculosa, que ainda recentemente confundia o público e desconcertava a polícia. Compreender o desaparecimento de seu cúmplice em pleno Palácio da Justiça, em pleno dia, na data marcada. Ele mesmo dissera: "Quando souberem a simplicidade do meio empregado para essa fuga, ficarão estupefatos".

Foi somente isso? — perguntarão. Sim, apenas isso, mas é preciso pensar mais. Era, com efeito, de uma simplicidade infantil: bastava ser chefe da Sûreté! Ora, Lupin era o chefe da Sûreté e todos os agentes, obedecendo a suas ordens, tornavam-se seus cúmplices involuntários e inconscientes. Cúmplices de Lupin.

Que bela comédia! Que blefe admirável! Que farsa monumental e reconfortante em nossa época de falta de energia! Ainda que prisioneiro, ainda que irremediavelmente vencido, Lupin, apesar de tudo, era o vencedor. De sua cela, brilhou em toda Paris. Mais do que nunca era o ídolo, mais do que nunca era o Mestre!

Ao acordar no dia seguinte em seu apartamento no Santé-Palace, como passara a chamá-lo, Arsène Lupin teve uma visão bem nítida da sensação que iria produzir sua prisão sob o duplo nome de Sernine e Lenormand e o duplo título de príncipe russo e chefe da Sûreté.

Esfregando as mãos, comentou:

— Nada melhor para fazer companhia a um homem solitário do que a aprovação dos seus contemporâneos. Oh! Glória! Sol e luz dos vivos!...

Na luz do dia, sua cela agradou-lhe ainda mais. A janela, ao alto, deixava perceber os ramos de uma árvore e entre eles podia ver o azul do céu. As paredes eram brancas. Havia apenas uma mesa e uma cadeira presas ao chão. Mas tudo era limpo e agradável.

— Vamos — murmurou —, uma pequena temporada de repouso por aqui terá suas vantagens... Mas procedamos à nossa toalete... Tenho tudo que preciso?... Não... Neste caso, dois toques de campainha para chamar o serviço de quarto.

Acionou perto da porta um mecanismo que ligou no corredor um sinal. Depois de um instante, os trincos e as barras de ferro foram puxados do lado de fora, a fechadura se abriu, e um carcereiro apareceu.

— Água quente, meu amigo — pediu Lupin.

O outro olhou-o ao mesmo tempo entre espantado e furioso.

— Ah! — exclamou Lupin — e uma boa toalha felpuda! Arre! não, não há toalhas felpudas!

O homem resmungou:

— Está zombando de mim? Não deve fazer isso.

Ia se retirando quando Lupin segurou-lhe o braço violentamente.

— Cem francos se quiser levar uma carta ao correio.

Tirou do bolso uma cédula de cem francos que escondera durante a revista e estendeu-a.

— A carta... — disse o carcereiro apanhando o dinheiro.

— Um momento... apenas o tempo de escrevê-la.

Sentou-se à mesa, escreveu algumas palavras a lápis numa folha de papel que meteu num envelope e sobrescritou:

"*Senhor S. B. 42 Posta-restante, Paris.*"

O carcereiro pegou a carta e foi embora.

— Eis uma carta — murmurou Lupin — que chegará a seu endereço tão seguramente como se eu mesmo a levasse. Daqui a uma hora, no máximo, terei a resposta. Exatamente o tempo de que preciso para fazer um exame da minha situação.

Puxou sua cadeira e pensou na situação:

— Tenho dois adversários: 1º, a sociedade, que me mantém preso, o que bem pouco me importa; 2º, uma pessoa desconhecida que não me tem em seu poder mas que me preocupa. Foi ela quem contou para a polícia que eu era Sernine. Foi ela quem adivinhou que eu era Lenormand. Foi ela quem fechou a porta do subterrâneo e foi ela quem fez com que eu fosse preso.

Arsène Lupin refletiu um segundo e depois continuou:

— Portanto, afinal de contas, a luta é entre mim e ele. E para sustentar essa luta, quer dizer, para descobrir e resolver o caso Kesselbach, eu estou preso, enquanto ele está livre, desconhecido, inacessível, dispondo de trunfos que eu acreditava ter: Pierre Leduc e o velho Steinweg... Em resumo, ele atinge o objetivo, depois de me ter afastado definitivamente.

Nova pausa meditativa e voltou ao monólogo:

— A situação não é brilhante. De um lado tudo, do outro nada. Diante de mim um homem com minha força, mais forte mesmo, pois ele não tem os escrúpulos que me embaraçam. E para atacá-lo, estou desarmado.

Repetiu diversas vezes estas últimas palavras mecanicamente, depois se calou e, tomando a cabeça entre as mãos, ficou muito tempo pensativo.

— Entre, senhor diretor — disse ele vendo a porta se abrir.

— Estava me esperando?

— Pois então não lhe escrevi, senhor diretor, pedindo que viesse? Ora, não tive a menor dúvida de que o carcereiro lhe entregaria minha carta. Prova de que não duvidei foi que a sobrescritei com as suas iniciais S. B., e idade, 42.

O diretor se chamava, realmente, Stanislas Borély e tinha quarenta e dois anos de idade. Era um homem de figura agradável, gênio pacato, e que tratava os presos com tanta indulgência quanto podia. Disse a Lupin:

— Não se enganou quanto à honestidade de meu subordinado. Eis aqui seu dinheiro. Ele será devolvido quando for libertado... Agora terá que passar mais uma vez pelo quarto da "revista".

Lupin seguiu o Sr. Borély até a pequena peça reservada para esse uso, despiu-se e, enquanto revistavam suas roupas com uma justificada desconfiança, prestou-se, ele mesmo, a um exame meticuloso.

Terminado, retornou à sua cela e o Sr. Borély afirmou:

— Estou mais tranquilo. Agora está pronto, tudo foi feito.

— E bem feito, Sr. diretor. Seus homens encarregados dessa função têm uma tal delicadeza que eu gostaria de testemunhar-lhe minha satisfação.

Deu uma cédula de cem francos ao Sr. Borély que se sobressaltou.

— Ora essa! Mas... de onde vem?

— É inútil quebrar a cabeça, senhor diretor. Um homem como eu, levando a vida que levo, tem que estar sempre pronto para todas as eventualidades, e nenhum infortúnio, por maior que seja, pode apanhá-lo desprevenido, nem mesmo uma prisão.

Ele agarrou o dedo médio da mão esquerda entre o polegar e o indicador da mão direita, arrancou-o com um golpe forte e silenciosamente o apresentou ao Sr. Borély.

— Não se assuste assim, diretor. Este não é o meu dedo, mas um simples tubo, artisticamente colorido e que se aplica exatamente ao meu dedo médio, para dar a ilusão do dedo real.

E acrescentou rindo:

— E dessa maneira, bem entendido, serve para esconder uma terceira cédula de cem francos... Que quer o senhor? Cada um tem a carteira que pode... e é preciso saber aproveitar.

Calou-se diante do ar assustado do Sr. Borély.

— Perdoe-me, senhor diretor, não pense que pretendo deslumbrá-lo com meus pequenos truques. Queria mostrar-lhe que tem um hóspede de uma natureza muito especial... e dizer-lhe que não se espante se me tornar culpado de certas infrações às regras usuais do seu estabelecimento.

O diretor tinha se recuperado. Declarou claramente:

— Espero que o senhor se conforme com nossas regras e não me obrigue a tomar medidas de exceção...

— Que o deixariam magoado, não é, senhor diretor? É justamente isso que desejo evitar, provando que elas não me impedirão de agir à minha vontade, corresponder-me com meus amigos, defender, no lado de fora, os sérios interesses que me são confiados, escrever aos jornais que me apoiam, prosseguir com o cumprimento dos meus projetos, e finalmente preparar a minha fuga.

— Sua fuga!

Lupin riu alegremente.

— Pense, senhor diretor... a única desculpa para eu estar na prisão é sair dela.

O argumento não pareceu suficiente para Sr. Borély, que riu por sua vez.

— Um homem prevenido vale por dois...

— É exatamente o que eu quero. Tome todas as precauções, senhor diretor, não negligencie nada, para que mais tarde ninguém tenha algo a reprová-lo. E eu me arranjarei de tal forma que, quaisquer que sejam os aborrecimentos que tenha a suportar devido a minha fuga, pelo menos sua carreira nada sofrerá. É o que eu tinha a dizer-lhe, senhor diretor. Pode sair.

E enquanto o Sr. Borély saía bem perturbado por esse hóspede tão peculiar, e bastante inquieto quanto aos acontecimentos que viriam, o preso atirou-se na cama sussurrando:

— Pois bem, meu velho Lupin, você tem audácia! Acho que já sabe como sair daqui!

* * *

O prédio da prisão da Santé foi construído em estilo radial. No centro da parte principal havia uma praça circular para onde convergiam todos os corredores, de tal forma que um preso não poderia sair de sua cela sem ser imediatamente visto por um dos vigias colocados na cabina envidraçada que ocupava o centro dessa praça circular.

O que surpreende quem visita a prisão é encontrar a todo instante presos com escolta, que parecem circular como se estivessem livres. Na realidade, para ir de um ponto a outro, por exemplo de sua cela ao carro de polícia que os espera no pátio para levá-los ao Palácio da Justiça, ou seja, à instrução criminal, eles transpunham linhas retas, cada uma terminada por uma porta que lhes era aberta por um carcereiro especialmente encarregado de abrir essa porta e vigiar as duas linhas retas.

Assim os prisioneiros, aparentemente livres, passavam de porta em porta, sempre vigiados, como uma encomenda que passa de mão em mão.

Do lado de fora, os guardas municipais recebiam a encomenda e introduziam-na em um dos raios do local, que chamavam de saladeira.

Era esse o mecanismo.

No caso de Lupin, mudaram a regra. Tiveram medo desse passeio através dos corredores. Desconfiaram do carro de polícia. Desconfiaram de tudo.

Weber veio pessoalmente, acompanhado por doze agentes, homens escolhidos, armados até os dentes; apanharam o temível prisioneiro na soleira da porta de sua cela e o conduziram em um táxi conduzido por um dos seus homens. À direita e à esquerda, na frente e atrás, seguiam guardas municipais.

— Bravo! — exclamou Lupin —, estão tendo comigo cuidados que chegam a me encabular... Uma guarda de honra. Caramba, Weber, você obedece bem à hierarquia! Não esquece das honras que deve ao seu superior imediato.

E batendo-lhe no ombro:

— Weber, estou pensando em pedir demissão. Eu o designarei meu sucessor.

— Isso já está quase feito — disse Weber.

— Que boa notícia! Estava um tanto inquieto quanto à minha fuga. Agora, estou tranquilo. Desde o instante em que Weber será o chefe dos serviços da Sûreté...

Weber não respondeu ao ataque. No fundo experimentava um sentimento bizarro e complexo diante de seu adversário, sentimento feito do medo que lhe inspirava Lupin, da deferência que tinha em relação ao príncipe Sernine, e da admiração respeitosa que sempre testemunhara ao Sr. Lenormand. Tudo isso misturado com rancor, inveja e ódio satisfeitos.

Chegaram ao Palácio da Justiça. Embaixo, agentes da Sûreté aguardavam. O Sr. Weber se alegrou ao ver seus dois melhores auxiliares: os irmãos Doudeville.

— O Sr. Formerie já chegou? — perguntou.

— Já, chefe. O senhor juiz de instrução está em seu gabinete.

Weber subiu a escada, seguido por Lupin e enquadrado pelos Doudeville.

— Geneviève? — sussurrou o prisioneiro.

— Salva...

— Onde está?

— Com a avó.

— A Sra. Kesselbach?

— Em Paris, no Hotel Bristol.

— Suzanne?

— Desaparecida.

— Steinweg?

— Não sabemos nada.

— A Vila Dupont está sendo vigiada?

— Está.

— Os jornais matutinos estavam bons?

— Excelentes.

— Para escrever-me, eis aí minhas instruções.

Chegavam ao corredor interno do primeiro andar. Lupin passou discretamente para a mão de um dos irmãos uma pequena bola de papel.

O Sr. Formerie disse uma frase deliciosa quando Lupin entrou em seu gabinete em companhia do subchefe:

— Está aqui! Nunca duvidei de que mais dia menos dia nós o apanharíamos.

— Eu também não duvidava, senhor juiz de instrução — disse Lupin —, e estou satisfeito que o destino o tenha escolhido para que justiça seja feita ao honesto homem que sou.

— Ele debocha de mim — pensou o Sr. Formerie.

E no mesmo tom, entre irônico e sério, retrucou:

— O honesto homem que o senhor é deve prestar explicações agora sobre trezentos e quarenta e quatro casos de roubo, trapaça, falsificação, chantagem, receptação, etc. Trezentos e quarenta e quatro!

— Como assim? Apenas isso? — exclamou Lupin. — Estou realmente envergonhado.

— Não se preocupe! Eu descobrirei mais. Mas seguiremos uma ordem. Arsène Lupin, apesar de todos os seus crimes, não sabemos seu verdadeiro nome.

— Que estranho! Eu também não!

— Não podemos sequer declarar que você é o mesmo Arsène Lupin que foi confinado na Santé alguns anos atrás, e que fez, daqui, sua primeira fuga.

— "Sua primeira fuga" é boa, e ainda te dá um crédito.

— Também é o caso, de fato — continuou Sr. Formerie —, que o registro de Arsène Lupin no departamento de medidas dá uma descrição completamente oposta de sua verdadeira descrição.

— Isso fica ainda mais estranho!

— Sinais diferentes, medidas diferentes, digitais diferentes... até mesmo as duas fotografias são bem diferentes. Com isso, devo pedir que você nos dê o prazer da sua exata identidade.

— Era justamente isso que eu iria te perguntar. Eu já vivi com tantos nomes diferentes que acabei esquecendo o meu próprio. Eu não sei onde estou.

— Devo declarar isso como uma recusa a responder?

— Uma incapacidade.

— Esse é um plano pensado? Devo esperar esse silêncio para todas as minhas outras perguntas?

— Quase.

— E por quê?

Lupin fez um gesto solene e disse:

— Senhor juiz de instrução, minha vida pertence à história. Você só precisa verificar os registros dos últimos quinze anos e sua curiosidade será saciada. Já ajudei bastante. Quanto ao resto, não me importo: é um problema entre você e os assassinos do Hotel Palace.

— Hoje, o honesto homem que é o senhor deve se explicar sobre o assassinato do Sr. Altenheim.

— Ora veja, isto é novidade. A ideia é sua, senhor juiz de instrução?

— Exatamente.

— Muito bem! Está verdadeiramente fazendo alguns progressos, Sr. Formerie.

— A posição na qual o senhor foi apanhado não deixa margem a nenhuma dúvida.

— Nenhuma; somente tomo a liberdade de perguntar o seguinte: qual a causa da morte do Sr. Altenheim?

— Um ferimento na garganta, feito por uma faca.

— E onde está essa faca?

— Não foi encontrada.

— Como não foi encontrada se eu era o assassino e fui surpreendido ao lado do homem que teria matado?

— E, segundo o senhor, quem é o assassino?

— É o mesmo que matou o Sr. Kesselbach, Chapman, etc. A natureza do ferimento é prova suficiente.

— Por onde teria escapado?

— Por um alçapão que descobrirão na mesma sala onde o crime se consumou.

O Sr. Formerie parecia astuto:

— E por que não seguiu um exemplo tão bom?

— Tentei seguir. Mas a saída estava fechada por uma porta que não pude abrir. Foi durante essa tentativa que o outro voltou à sala e matou seu cúmplice, com receio de que este revelasse alguma coisa. Ao mesmo tempo, escondeu no fundo do gabinete, onde as encontraram, as roupas que eu preparara.

— Por que essas roupas?

— Para me disfarçar. Vindo à Vila das Glicínias, meu projeto era entregar Altenheim à justiça, desaparecer como príncipe Sernine e reaparecer sob os traços de...

— Do Sr. Lenormand, talvez?

— Justamente.

— Não.

— O quê?

Formerie sorria com um ar de zombaria e balançava o dedo indicador da direita para a esquerda e da esquerda para a direita.

— Não — repetiu ele.

— Por que não?

— A história do Sr. Lenormand... É muito boa para o público, meu amigo. Mas o senhor não conseguirá enganar o Sr. Formerie com essa fábula de que Lupin e Lenormand são apenas um, o mesmo.

Deu uma gargalhada.

— Lupin chefe da Sûreté! Não, tudo o que o senhor queira, menos isso! Há limites para tudo... Sou uma boa pessoa... mas ainda assim... Vejamos, cá entre nós, qual a razão dessa nova mentira? Confesso que não vejo bem...

Lupin olhava espantado. Apesar de tudo o que sabia sobre o Sr. Formerie, nunca pensara que chegasse a tal ponto de presunção e cegueira. A dupla personalidade do príncipe Sernine, naquele momento, tinha apenas um incrédulo. Somente o Sr. Formerie...

Lupin voltou-se para o subchefe Weber que escutava de boca aberta.

— Meu caro Weber, sua promoção me parece comprometida. Porque se afinal o Sr. Lenormand não sou eu, é que ele existe... e se ele existe, não duvido que o Sr. Formerie, com seu espantoso faro, acabe por descobri-lo... e nesse caso...

— Nós o descobriremos, Sr. Lupin — exclamou o juiz de instrução... — Tratarei disso e confesso que o encontro entre o senhor e ele não será banal.

Ele ria e tamborilava os dedos sobre a mesa.

— Como é engraçado! Ah! Com o senhor, não se pode negar, ninguém se aborrece. Dessa forma o senhor seria Lenormand e foi o senhor quem prendeu o seu cúmplice Marco!

— Perfeitamente! Não era necessário agradar o presidente do Conselho e salvar o Gabinete? O acontecimento é histórico.

O Sr. Formerie rolava de rir.

— Ah! Esta, é muito boa, é de matar de rir! Meu Deus, como é engraçado! A resposta dará a volta ao mundo. E então, segundo seu sistema, foi o senhor quem fez o inquérito inicial, no Palace, depois do assassinato do Sr. Kesselbach?...

— Foi realmente comigo que o senhor seguiu o caso do diadema, quando eu era o duque de Charmerace — retrucou Lupin sarcasticamente.

O Sr. Formerie estremeceu, desaparecendo toda a sua alegria com essa triste lembrança. De repente, muito sério, pronunciou:

— Desta forma, persiste nesse absurdo sistema?

— Sou obrigado, pois é a verdade. Será fácil ao senhor, tomando um trem para a Cochinchina, encontrar em Saigon as provas da morte do verdadeiro Sr. Lenormand, o bravo homem a quem substituí, cujo atestado de óbito lhe será entregue.

— Mentiras!

— Por minha fé, senhor juiz de instrução, confessarei que isto para mim é indiferente. Se o aborrece o fato de que eu seja o Sr. Lenormand, não falemos mais nisso. Não falaremos de mim mesmo; não falaremos de nada, caso prefira. Além disso, de que te importa isso? O caso de Kesselbach é tão confuso que nem mesmo eu sei onde fico nele. Existe apenas um homem que pode ajudá-lo. Eu não consegui encontrá-lo. E acho que você...

— Qual é o seu nome?

— Um senhor alemão chamado Steinweg... Mas é claro que você já ouviu falar dele, Weber, e da forma como ele foi arrastado no meio do Palácio da Justiça.

Sr. Formerie encarou o vice-comandante de forma questionadora. Sr. Weber respondeu:

— Cuidarei de trazer essa pessoa até você, Monsieur Juiz de Instrução.

— Está terminado. Como pode ver, trata-se de um interrogatório puramente formal, o encontro frente a frente de dois duelistas. Agora que as espadas estão desembainhadas, só nos falta a testemunha obrigatória desse torneio de armas: o seu advogado.

— Bah! É indispensável?

— Indispensável.

— Obrigar a trabalhar um dos bons advogados, tendo em vista debates tão... problemáticos?

— É preciso.

— Nesse caso escolho o *maître* Quimbel.

— O presidente da Ordem dos Bares. Uma boa escolha, será bem defendido.

Terminara a primeira sessão. Descendo a escada do presídio entre os dois Doudeville, o preso resmungou, em curtas frases imperativas:

— Vigiem a casa de Geneviève... quatro homens permanentemente... A Sra. Kesselbach também... elas estão ameaçadas. Deem nova busca na Vila Dupont... estejam presentes. Se descobrirem Steinweg, façam com que se cale... se necessário à força.

— Quando estará livre, chefe? — Por enquanto, nada a fazer... Aliás não há pressa... Eu descanso.

Embaixo reencontrou os guardas municipais que enquadraram o carro.

— Para casa, meus filhos — exclamou ele —, e diretamente. Tenho um encontro comigo mesmo, precisamente às duas horas.

O trajeto efetuou-se sem incidentes.

Voltando à sua cela, Lupin escreveu uma longa carta com instruções detalhadas aos irmãos Doudeville e duas outras. Uma era para Geneviève.

"Geneviève, você sabe, agora, quem sou eu e compreenderá por que não lhe disse o nome daquele que, por duas vezes, a carregou em seus braços quando criança.

Geneviève, eu era amigo de sua mãe, amigo distante de quem ela ignorava a existência dupla, mas com quem ela sabia que poderia contar. Foi por isso que antes de morrer ela escreveu-me algumas palavras pedindo-me que tomasse conta de você.

Por mais indigno de sua estima que eu seja, Geneviève, serei sempre fiel a esse pedido.

Não me tire completamente do seu coração. Arsène Lupin."

A outra carta era dirigida a Dolores Kesselbach.

"Apenas o interesse levou o príncipe Sernine a aproximar-se da Sra. Kesselbach. Mas um grande desejo de devotar-se a ela fez com que ficasse a seu lado.

Hoje, quando o príncipe Sernine não é outro senão Arsène Lupin, ele pede à Sra. Kesselbach não lhe tirar o direito de protegê-la, de longe, como se protege alguém que nunca mais se verá."

Havia envelopes na mesa. Pegou em um, depois em dois, mas quando pegava o terceiro viu uma folha de papel branco cuja presença espantou-o, e no qual estavam coladas algumas palavras recortadas de um jornal. Leu:

"A luta com Altenheim não foi proveitosa. Desista de tratar do caso e eu não me oporei à sua fuga.

Assinado: L. M."

Novamente Lupin sentiu essa impressão de repulsa e medo que lhe inspirava esse indivíduo inominável e fabuloso — a sensação de asco que sentimos quando tocamos num ser venenoso, numa cobra.

— Ainda ele — disse —, até mesmo aqui! Era isso também o que o assustava, a visão súbita que tinha, por momentos, desse poderio inimigo tão grande quanto o seu e que dispunha de meios formidáveis que ele não conhecia.

Suspeitou imediatamente do carcereiro. Mas como poderia ele corromper esse homem de traços duros, de expressão severa?

— Pois bem, tanto melhor! — exclamou. — Sempre tive que lidar com peixes miúdos... Para combater a mim mesmo tive que nomear-me chefe da Sûreté... Desta vez estou bem servido!... Eis aí um homem que me põe no bolso... como um malabarista, poderíamos dizer... Se conseguir, do fundo de minha prisão, evitar os golpes e destruí-lo, ver o velho Steinweg e arrancar-lhe uma confissão, levantar o caso Kesselbach e realizá-lo integralmente, defender a Sra. Kesselbach e conquistar a felicidade e a fortuna para Geneviève... Bem, Lupin... será sempre Lupin...

Onze dias se passaram. No décimo segundo dia, Lupin levantou bem cedo e exclamou:

— Vejamos, se meus cálculos estão corretos e se os deuses estão ao meu lado, haverá notícias hoje. Eu fiz quatro entrevistas com o Formerie. O rapaz deve estar bem animado agora. E os Doudevilles, de seu ponto de vista, devem ter estado ocupados... Vamos nos divertir!

Lupin jogou seus dois punhos da direita e da esquerda, depois trouxe-os até o peito, lançou-os e outra vez trouxe-os de volta. Esse movimento, que executou trinta vezes seguidas, foi substituído por uma flexão do busto para trás e para a frente, seguindo-se uma elevação alternada das pernas, depois um movimento de rotação dos braços, como um moinho.

Tudo isso durou quinze minutos, tempo que dedicava toda manhã para desenferrujar os músculos com exercícios de ginástica sueca.

Depois, se sentou diante de sua mesa, tomou algumas folhas de papel em branco que estavam arrumadas em pacotes numerados, e dobrando uma delas fez um envelope — obra que recomeçou com uma série sucessiva de folhas.

Era o trabalho que aceitara e ao qual se dedicava todos os dias, pois os presos tinham o direito de escolher o trabalho que quisessem: colagem de envelopes, confecção de ventarolas de papel, bolsas de metal, etc.

Ao mesmo tempo, enquanto tinha as mãos ocupadas no exercício mecânico, amaciando os músculos em flexões mecânicas, Lupin não deixava de pensar em seus negócios. E seus negócios eram bem complicados, isso se sabia!

Havia um, por exemplo, que era mais importante que todos os outros, e ao qual deveria empregar todos os recursos de sua genialidade. Como teria uma tranquila e longa conversa com o velho Steinweg? A necessidade era imediata. Em alguns dias, Steinweg se libertaria do seu confinamento, seria interrogado, poderia abrir o bico... sem considerar a interferência do inimigo, 'aquele outro'. E era essencial que o segredo de Steinweg, o segredo de Pierre Leduc, não fosse revelado a ninguém, exceto Lupin. Uma vez revelado, perde todo o seu valor...

O trinco rangeu, e a chave virou na fechadura com um barulho...

— Ah! é você, excelente guardião. É o momento da suprema toalete, o corte de cabelos que precede o grande golpe final?

— Examinação do magistrado — disse o homem laconicamente.

Lupin caminhou pelos corredores da prisão e foi recebido pelos guardas municipais, que o prenderam dentro da viatura.

Ele chegou ao Palácio da Justiça vinte minutos depois. um dos Doudevilles o aguardava próximo à escadaria. Enquanto subiam, disse a Lupin:

— Você será confrontado hoje.

— Está tudo preparado?

— Sim.

— Weber?

— Ocupado em algum outro lugar.

Lupin entrou na sala do Sr. Formerie e no mesmo momento reconheceu Steinweg, sentado em uma cadeira, com uma aparência doentia e fraca. Um guarda municipal estava de pé atrás dele.

Sr. Formerie examinou o prisioneiro atentamente, como se esperasse conseguir alguma conclusão importante da sua contemplação, e disse:

— Você conhece este cavalheiro?

— Ora, é o Steinweg, claro!...

— Sim, graças às investigações do Sr. Weber e seus dois oficiais, os irmãos Doudeville, nós encontramos o Sr. Steinweg, que, de acordo com você, sabe todas as entradas e saídas da residência Kesselbach, o nome do assassino, e todo o resto.

— Eu te parebenizo, Sr. juiz de instrução. Sua investigação vai muito bem.

— Eu concordo, só tem um "porém": O Sr. Steinweg se recusa a revelar qualquer coisa a não ser que esteja em sua presença.

— Ora, não entendo! Que estranho de sua parte! Será que Arsène Lupin o inspira com tanta estima e afeição?

— Arsène Lupin, não, mas Príncipe Sernine, que, diz ele, salvou sua vida e a do Sr. Lenormand, com quem, diz ele, iniciou uma conversa...

— Nessa época eu era o chefe da Sûreté. — Disse Lupin, repentinamente. — Então você consente em admitir.

— Sr. Steinweg — disse o magistrado —, você reconhece o Sr. Lenormand?

— Não, mas sei que ele e Arsène Lupin são um só.

— Então consente em falar?

— Sim... mas... não estamos sozinhos.

— O que quer dizer? Só há meu assistente aqui... e o guarda...

— Sr. juiz de instrução, o segredo que estou prestes a revelar é tão importante que até mesmo o senhor se incomodaria...

— Guarda, vá para fora, por favor. — disse o Sr. Formerie. — Volte assim que chamado. Você se incomoda com a presença de meu assistente, Steinweg?

— Não, não... talvez seja até melhor... mas, no entanto...

— Então fale. Sobre isso, nada que revelar será escrito. Só mais uma coisa, porém: eu lhe peço pela última vez, é realmente indispensável que o prisioneiro esteja presente nesse interrogatório?

— Muito indispensável. Você mesmo verá o motivo.

Ele puxou uma cadeira para perto da mesa do magistrado, Lupin continuou em pé. O velho, em voz alta, disse:

— Agora fazem dez anos desde uma série de ocorrências, às quais não devo detalhar, que me apresentaram a uma história extraordinária relacionada a duas pessoas.

— Seus nomes, por favor.

— Eu direi seus nome no momento certo. Por agora, deixe-me dizer que uma dessas pessoas ocupa um cargo excepcional na França, e a outra, um italiano, ou um espanhol... sim, um espanhol...

Um salto na sala, seguido por dois maravilhosos golpes do punho... os braços de Lupin se atiraram para a direita e para a esquerda, como se movidos por molas em seus dois pulsos, pesados como balas de canhão, atingiram a mandíbula do magistrado e seu assistente, logo abaixo da orelha.

O magistrado e seu assistente caíram sobre a mesa, um a um, sem um único ganido.

— Que ótimo golpe! — disse Lupin — Um trabalho bem feito.

Foi até a porta e a trancou suavemente. Então, voltou.

— Diga, Steinweg, tem o clorofórmio?

— Tem certeza de que estão desmaiados?

— E como! Estão fora de si por uns três ou quatro minutos... mas isso não bastará.

O alemão tirou do bolso um tubo de cobre que estendeu como um telescópio, na ponta do qual estava preso um vidro.

Lupin pegou o vidro, pingou algumas gotas num lenço e aplicou-o no nariz do chefe da guarda.

— Ótimo! Temos dez minutos de paz e tranquilidade à nossa frente. Isso vai servir, mas vamos nos apressar mesmo assim; e nem uma palavra a mais, velho, ouviu?

Ele o pegou pelo braço.

— Você viu o que sou capaz de fazer. Aqui estamos, sozinhos no coração do Palácio da Justiça, porque eu queria.

— Sim — disse o velho.

— Então, vai me contar o segredo?

— Sim, eu contei ao Kesselbach, pois ele era rico e poderia fazer melhor proveito do que qualquer um que eu conheça; mas preso e completamente impotente como está, eu o considero cem vezes mais forte que Kesselbach com suas centenas de milhões.

— Nesse caso, fale. E procedamos por ordem. O nome do assassino?

— É impossível.

— Como impossível? Não acaba de dizer que o conhece? Portanto você deve revelar tudo.

— Tudo menos isso.

— Entretanto...

— Mais tarde.

— Está louco! Por quê?

— Não tenho provas. Mais tarde, quando você estiver livre, procuraremos juntos. De que servirá agora? E além disso realmente não posso.

— Tem medo dele?

— Tenho.

— Vá lá — disse Lupin. — Além de tudo, isto não é o mais urgente.

Quanto ao resto, está disposto a falar?

— Sobre tudo.

— Pois bem, responda: como se chama Pierre Leduc?

— Hermann IV, grão-duque de Deux-Ponts-Veldenz, príncipe de Berncastel, conde de Fistingen, senhor de Wiesbaden e de outros lugares.

Lupin estremeceu de alegria ao saber que seu protegido não era filho de um salsicheiro.

— Caramba! — murmurou ele. — Estamos bem servidos de títulos!...

— Tanto quanto sei, o grão-ducado de Deux-Ponts-Veldenz é na Prússia?

— Sim, na Moselle. A casa de Veldenz é um ramo da casa Palatine de Deux-Ponts. O grão-ducado foi ocupado pelos franceses depois da paz de Lunéville, e fez parte do Departamento de Mont-Tonnerre. Em 1814, voltou a existir, governado por Hermann I, bisavô do nosso Pierre Leduc. O filho, Hermann II, teve uma mocidade tempestuosa, arruinou-se, dilapidou as finanças do país, tornou-se insuportável para os seus súditos, que acabaram queimando parte do velho castelo de Veldenz, expulsando o governante. O grão-ducado foi então administrado por três regentes, em nome de Hermann II, que, anomalia bastante curiosa, não abdicou do título de grão-duque reinante. Viveu pobremente em Berlim, fez mais tarde a campanha da França ao lado de Bismarck, de quem era amigo, foi atingido por um obus no sítio de Paris e, ao morrer, confiou a Bismarck seu filho Hermann III.

— O pai, por conseguinte, de nosso Pierre Leduc.

— Sim. Hermann III era muito querido pelo chanceler que, por diversas vezes, aproveitou-o como emissário secreto junto a personalidades estrangeiras. Com a queda de seu protetor Hermann III deixou Berlim, viajou e acabou fixando-se em Dresden. Quando Bismarck morreu, Hermann III lá estava. Ele mesmo morreu dois anos depois. Eis aí os fatos públicos, conhecidos em toda a Alemanha, a história dos três Hermann, grão-duques de Deux-Ponts-Veldenz no século XIX.

— Mas o quarto, Hermann IV, o que nos interessa?

— Falaremos já. Passemos agora a alguns fatos ignorados.

— Mas que você conhece — disse Lupin.

— Não só eu, mas alguns outros.

— Como, alguns outros? O segredo então não foi guardado?

— Sim, o segredo foi bem guardado por aqueles que o conheciam. Nada tema, pois estes têm todo interesse, posso garantir, em não divulgá-lo.

— Então, como o conhece?

— Por um antigo empregado e secretário particular do grão-duque Hermann, último do nome. Esse empregado, que morreu em meus braços na Cidade do Cabo, confiou-me o famoso segredo.

— O mesmo que revelou mais tarde a Kesselbach?

— O mesmo.

— Um segundo... pode me dar licença?...

Lupin se debruçou sobre Sr. Formerie, satisfeito em saber que estava tudo bem e que seu coração batia normalmente, e disse:

— Prossiga.

Steinweg retomou:

— Na mesma noite da morte de Bismarck, o grão-duque Hermann III e seu fiel empregado — meu amigo da Cidade do Cabo — subiram a um trem que os levou a Munique... a tempo de tomar o rápido para Viena. De Viena foram a Constantinopla, depois ao Cairo, a Nápoles, a Túnis, à Espanha, a Paris, depois a Londres, a São Petersburgo, a Varsóvia... Em nenhuma dessas cidades eles pararam. Saltavam de um táxi, faziam com que carregassem suas duas malas, galopavam através das ruas, corriam para uma estação vizinha ou para o porto mais próximo, e retomavam um trem ou um navio.

— Em poucas palavras, sentindo-se seguidos, procuravam despistar — concluiu Lupin.

— Uma noite deixaram a cidade de Trèves, vestidos com roupas e bonés de trabalhadores, um cajado nos ombros, carregando uma trouxa na extremidade. Andaram a pé os trinta e cinco quilômetros que os separavam de Veldenz, onde se localiza o velho castelo de Deux-Ponts, ou melhor, as ruínas do velho castelo.

— Não percamos tempo com minúcias.

— Durante todo o dia ficaram escondidos em uma floresta vizinha. À noite aproximaram-se das antigas fortificações. Ali Hermann ordenou a seu empregado que esperasse, escalou o muro no lugar de uma brecha denominada Brèche-au-Loup. Uma hora mais tarde regressava. Na semana seguinte, depois de novas peregrinações, voltava à casa, em Dresden. A expedição terminara.

— E qual o objetivo da expedição?

— O grão-duque não disse uma palavra sequer a seu empregado. Mas o empregado, devido a certos detalhes, pela coincidência de fatos que ocorreram, pôde reconstituir a verdade, pelo menos em parte.

— Rápido, Steinweg, o tempo está passando e estou ansioso para saber.

— Quinze dias após a expedição, o conde de Waldemar, oficial da guarda do imperador e um dos seus amigos pessoais, apresentou-se em casa do grão-duque acompanhado por seus homens. Lá ficou todo o dia, fechado no escritório do grão-duque. Várias vezes ouviram o ruído de alterações, violentas discussões. Esta frase foi entendida pelo empregado que passava pelos jardins, sob as janelas: "Esses papéis lhe foram entregues, Sua Majestade tem certeza disso. Se não quiser devolvê-los de boa vontade..."

O restante da frase, o sentido da ameaça e de toda a cena, aliás, adivinhou- se facilmente pelo que se seguiu: a casa de Hermann fora vasculhada de alto a baixo.

— Mas era ilegal.

— Seria ilegal se o grão-duque tivesse se oposto, mas ele mesmo acompanhou o conde em sua busca.

— O que eles queriam? As memórias do chanceler?

— Mais do que isso. Procuravam um pacote de papéis secretos dos quais conheciam a existência por certas indiscrições cometidas, e que sabiam, com certeza, terem sido confiados ao grão-duque Hermann.

Lupin estava com os dois cotovelos apoiados na grade e seus dedos se crispavam nas malhas de ferro. Murmurou emocionado:

— Papéis secretos... e muito importantes, sem dúvida?

— Muito. A divulgação de tais papéis traria resultados imprevisíveis não só do ponto de vista da política interna mas também das relações exteriores.

— Oh! Será possível?! Qual a prova que você tem? — perguntou Lupin.

— Prova? O próprio testemunho da mulher do grão-duque, as confidências que ela fez ao empregado após a morte do marido.

— Com efeito... com efeito... — balbuciou Lupin. — É o próprio testemunho do grão-duque que temos.

— Ainda melhor! — exclamou Steinweg.

— O quê?

— Um documento! Um documento escrito por sua própria mão, assinado por ele e que contém...

— O quê?

— A lista dos papéis que lhe foram confiados.

— Diga-me, em poucas palavras.

— Em poucas palavras? É impossível. O documento é longo, cheio de anotações, de marcas algumas vezes incompreensíveis. Para citar apenas dois títulos que correspondem a dois maços de papéis secretos: "*Cartas originais do Kronprinz a Bismarck*". As datas mostram que essas cartas foram escritas durante os três meses de reinado de Frederico III, seus atritos com o filho...

— Sim... sim... eu sei... e o outro título? — quis saber Lupin.

— "*Fotografias das cartas de Frederico III e da Imperatriz Victória à Rainha da Inglaterra*"...

— Existe isso? — perguntou Lupin com voz transtornada.

— Ouça as anotações do grão-duque: "*Texto do Tratado com a Inglaterra e a França*". E estas palavras um tanto estranhas: "*Alsácia-Lorena... Colônias...Limite naval...*"

— Há isso? — balbuciou Lupin. — E você diz que é estranho? Pelo contrário, são palavras da maior clareza!... Será possível...

Enquanto falava, houve um barulho na porta. Alguém estava batendo.

— Não pode entrar — disse Lupin —, estou ocupado... continue, Steinweg.

— Mas... — disse o velho, em estado de grande nervosismo.

A porta foi chacoalhada violentamente e Lupin reconheceu a voz de Weber. Gritou:

— Um pouco de paciência que dentro de cinco minutos terminarei.

Agarrou o braço do velho de forma violenta e disse imperativamente:

— Acalme-se, e continue sua história... Então, dessa forma a expedição do grão--duque e seu empregado ao castelo de Veldenz só a finalidade de esconder os papéis?

— Sem dúvida alguma...

— Seja. Mas o grão-duque não pôde recuperá-los depois?

— Não. Ele não deixou Dresden até a sua morte.

— Mas os inimigos do grão-duque, que tinham todo interesse em retomá-los e destruí-los, não poderiam ter chegado até onde se encontravam os papéis?

— Realmente o inquérito levou-os até lá.

— Como sabe?

— Eu não fiquei inativo e meu primeiro cuidado, quando tive tais revelações, foi ir a Veldenz e me informar, pessoalmente, nas cidades vizinhas. Ora, eu soube que por duas vezes o castelo fora invadido por dezenas de homens vindos de Berlim e acreditados junto aos governantes.

— E daí?

— Não puderam encontrar nada porque depois dessa época a visita ao castelo não foi mais permitida.

— Mas quem impede que alguém penetre?

— Uma guarnição de soldados, cinquenta soldados que vigiam dia e noite.

— Soldados do grão-ducado?

— Não. Soldados escolhidos na guarda pessoal do imperador.

Vozes se fizeram ouvir no corredor e bateram novamente, chamando o chefe da guarda.

— Abra! Ordeno-lhe que abra!

— Impossível, Weber, meu camarada. A fechadura está emperrada. O único conselho que posso lhe dar é fazer uma abertura em torno da fechadura.

— Abra!

— E a sorte da Europa que está sendo discutida não lhe importa?

Voltou-se para o velho:

— Então você não pôde entrar no castelo?

— Não.

— Mas tem certeza de que os famosos papéis estão escondidos lá?

— Não lhe dei todas as provas possíveis? Ainda não está convencido?

— Sim, estou — murmurou Lupin —, é lá que estão escondidos... não há dúvida... é lá que estão escondidos...

Parecia ver o castelo. Parecia evocar o misterioso esconderijo. E a visão de um tesouro inesgotável, a evocação de cofres cheios de pedras preciosas e de riquezas não o emocionaria mais do que a ideia destes pedaços de papel sobre os quais a guarda do Kaiser mantinha vigilância. Que maravilhosa conquista a ser tentada! E como era digna dele! E como tinha, uma vez mais, provado sua clarividência e intuição atirando-se ao acaso nessa pista desconhecida!

Do lado de fora trabalhavam na fechadura. Perguntou ao velho Steinweg:

— De que morreu o grão-duque?

— De pleurisia, em poucos dias. Mal pôde recobrar a consciência e o que era horrível é que todos viam, ao que parece, os esforços inúteis que fazia, entre dois acessos de delírio, para reunir as ideias e pronunciar algumas palavras. De quando em quando chamava sua mulher, olhava-a com um ar desesperado e agitava em vão os lábios.

— Conseguiu falar? — perguntou Lupin, a quem o serviço na fechadura começava a inquietar.

— Não, ele não falou. Mas. em um minuto de lucidez, com uma energia férrea, conseguiu traçar alguns sinais numa folha de papel que sua mulher lhe deu.

— E estes sinais?...

— Indecifráveis, na maior parte...

— Na maior parte... mas os outros? — disse Lupin avidamente.

— Os outros?

— Havia primeiro três números perfeitamente diferentes: um 8, um 1 e um 3...

— 813... sim, eu sei... e depois?

— Depois, diversas letras, entre as quais não era possível reconstituir com toda a certeza senão um grupo de três e, imediatamente após, um grupo de duas letras.

— "APO ON", não é?

— Ah! Você já sabia...

A fechadura soltava-se, todos os parafusos retirados. Lupin pediu, subitamente ansioso com a ideia de ser interrompido:

— Assim esta palavra incompleta, "APO ON", e o número 813 foram as fórmulas que o grão-duque legou a sua mulher e a seu filho para que pudessem encontrar os papéis secretos?

— Foi.

Lupin segurou a fechadura com as duas mãos para impedi-la de cair.

— Senhor diretor, assim vai acordar o chefe dos carcereiros. Não está sendo delicado; um minuto apenas, permite? Steinweg, que fim levou a mulher do grão-duque?

— Morreu, pouco depois de seu marido; de tristeza, poderíamos dizer.

— E a criança foi recolhida pela família?

— Que família? O grão-duque não tinha irmãos nem irmãs. Por outro lado, ele se casara morganaticamente e em segredo. Não, a criança foi levada pelo antigo servidor de Hermann, que o educou com o nome de Pierre Leduc. Era um jovem mau, independente, de difícil tratamento. Um belo dia partiu. Ninguém mais teve notícias dele.

— Conhecia o segredo de seu nascimento?

— Conhecia, e lhe mostraram a folha de papel na qual Hermann escreveu as letras, e as figuras.

— E daí em diante tal revelação foi feita somente a você?

— Sim.

— Você não confiou a ninguém além do Sr. Kesselbach?

— Apenas a ele. Mas prudentemente, mostrando-lhe a folha de papel com os números e as letras, bem como a lista de que lhe falei, guardei comigo estes dois documentos. Os acontecimentos vieram provar que eu tinha razão.

Lupin agora segurava a porta com as duas mãos:

— Weber — esbravejou —, seu enxerido! Vou fazer uma reclamação contra você!... Steinweg, estes documentos estão com você?

— Estão.

— Em segurança?

— Completa.

— Em Paris?

— Não.

— Tanto melhor. Nunca esqueça que a sua vida está em perigo e que você é perseguido.

— Eu sei. Um passo em falso e estarei perdido.

— Justamente. Portanto, tome suas precauções, despiste o inimigo, vá buscar os papéis e espere minhas instruções. O caso vai bem. Daqui a um mês no máximo iremos juntos fazer uma visita ao castelo de Veldenz.

— E se eu estiver preso?

— Eu o soltarei.

— É possível?

— Na manhã seguinte à da minha saída. Não, estou enganado, na mesma tarde, uma hora depois...

— Tem um plano?

— Há dez minutos, sim, e ele é infalível. Você não tem nada a dizer?

— Não.

— Então abrirei.

Puxou a porta e inclinou-se diante do Sr. Weber.

— Meu pobre amigo Weber, não sei como desculpar-me...

Não terminou sua fala. A invasão do diretor e de três homens não lhe deu tempo.

O Sr. Weber estava pálido de raiva e indignação. A vista dos dois carcereiros estendidos no chão transtornou-o:

— Mortos! — gritou ele.

— Nem um pouco, nem um pouco — zombou Lupin —, apenas adormecidos! Formerie estava muito cansado... então, dei a ele um tempo de descanso.

— Basta de brincadeira — disse o Sr. Weber violentamente.

E dirigindo-se aos guardas:

— Levem-no de volta para Santé. E fiquem de olhos abertos, porcaria! Quanto a este visitante...

Lupin não soube mais nada sobre as intenções do Sr. Weber em relação ao velho Steinweg. Uma multidão de guardas municipais e policiais o arrastaram até a viatura.

Na escadaria, Doudeville sussurrou:

— Weber havia recebido um aviso. Ele dizia para se atentar a esse confronto e tomar cuidado com Steinweg. A nota era assinada por "L. M."

Mas Lupin não se importou com isso. De que importava o ódio do assassino ou o destino do velho Steinweg? Ele sabia o segredo de Rudolf Kesselbach!

A GRANDE ARMAÇÃO DE LUPIN

Para surpresa do próprio Lupin, ele não foi levado para masmorra. O Sr. Borély veio dizer-lhe pessoalmente algumas horas mais tarde que julgava esta punição inútil.

— Mais do que inútil, senhor diretor, perigosa... — respondeu Lupin. — Perigosa, inábil e revoltante.

— Por quê? — perguntou o Sr. Borély a quem seu pensionista inquietava cada vez mais.

— Por isto, senhor diretor. O senhor acaba de regressar da chefatura de polícia onde foi contar a quem de direito a revolta do detento Lupin, e onde exibiu a licença para a visita do Sr. Stripani. Sua desculpa era simples pois uma vez que o Sr. Stripani lhe apresentou a permissão, o senhor tomou a precaução de telefonar à chefatura e de manifestar sua surpresa, e onde foi informado de que a autorização era perfeitamente válida.

— Ah! Então já sabe...

— Sei muito bem porque foi um dos meus agentes que lhe respondeu na chefatura. Logo, a seu pedido, abertura de inquérito para apurar quem de direito é o responsável, que descobre então que a autorização não passa de uma falsificação... e estão procurando quem a fez... mas fique tranquilo pois não descobrirão nada...

O Sr. Borély sorriu à guisa de protesto.

— Então — prosseguiu Lupin — interrogarão meu amigo Stripani que não terá nenhuma dificuldade em confessar seu nome verdadeiro: Steinweg!

— Será possível? Mas nesse caso o detento Lupin conseguiu fazer alguém entrar na prisão da Santé e conversar uma hora com ele! Que escândalo! É melhor abafar, não é? Soltam o Sr. Steinweg e enviam o Sr. Borély como embaixador junto ao preso Lupin, com todos os poderes para comprar seu silêncio. Não é verdade, senhor diretor?

— Absolutamente verídico! — disse o Sr. Borély que resolvera levar o caso na troça a fim de poder esconder seu embaraço. — Parece que tem o dom de ver longe. E então, aceita as nossas condições? Lupin deu uma gargalhada.

— Em outras palavras, subscreve suas preces! Sim, senhor diretor, pode tranquilizar os senhores da chefatura. Eu me calarei. Afinal, tenho tantas vitórias no meu ativo que posso conceder o favor do meu silêncio. Não farei nenhuma comunicação à imprensa... pelo menos quanto a este assunto.

Com isso, se reservava o direito de fazer outras sobre outros assuntos. Toda a atividade de Lupin, com efeito, iria convergir para este duplo fim: corresponder-se com seus amigos e através deles levar adiante uma de suas campanhas de imprensa, onde era inimitável.

Desde o instante de sua detenção, aliás, dera as instruções necessárias aos Doudeville, e esperava que os preparativos estivessem para se resolver.

Todos os dias dedicava-se conscienciosamente à confecção dos envelopes com o material que todas as manhãs lhe era entregue em pacotes numerados e que, à tarde, levavam dobrados e colados.

Ora, sendo a distribuição de pacotes numerados feita todos os dias, da mesma maneira entre os presos que haviam escolhido este gênero de trabalho, inevitavelmente o pacote de Lupin devia ter sempre o mesmo número de ordem.

A experiência, o cálculo, foi bem feito. Bastou apenas subornar um dos empregados da empresa particular encarregada do fornecimento e da expedição dos envelopes.

Simples! Lupin, certo da vitória, esperava tranquilamente que um sinal combinado com seus amigos aparecesse na folha superior do pacote.

O tempo, além disso, corria rápido. Pelo meio-dia recebeu a visita cotidiana do Sr. Formerie e, na presença de Dr. Quimbel, seu advogado, testemunha taciturna, Lupin respondeu a um interrogatório rigoroso.

Era sua alegria. Tendo acabado por convencer o Sr. Formerie de sua não participação no assassinato do barão Altenheim, confessou ao juiz delitos absolutamente imaginários e os inquéritos de imediato ordenados pelo Sr. Formerie chegaram a resultados pasmosos, a equívocos escandalosos, onde o público reconhecia o toque pessoal do grande mestre da ironia, Arsène Lupin.

Pequenas brincadeiras, como dizia ele. Não era necessário ter uma diversão? Mas a hora dos negócios importantes se aproximava. No quinto dia, Arsène Lupin notou no pacote que lhe traziam o sinal convencionado, uma marca com a unha atravessando a segunda folha.

— Finalmente — disse ele — aqui estamos.

Tirou de um esconderijo um minúsculo frasco, destapou-o, umedeceu a extremidade do indicador com o líquido que continha e passou o dedo pela terceira folha do pacote.

Depois de um momento alguns rabiscos se desenharam, depois letras, palavras, e finalmente frases. Leu:

"Tudo vai bem, Steinweg livre. Esconde-se na província. Geneviève Ernemont em boa saúde. Ela vai diversas vezes ao Hotel Bristol visitar a senhora Kesselbach doente. Aí encontra sempre Pierre Leduc. Responda pela mesma maneira. Nenhum perigo."

Dessa forma, as comunicações com o exterior estavam feitas. Uma vez mais os esforços de Lupin eram coroados de sucesso. Agora faltava apenas executar seu plano, analisar as confidências do velho Steinweg, e conquistar sua liberdade por uma das mais extraordinárias e geniais combinações que até então haviam brotado de seu cérebro.

Três dias depois apareciam no *Grand Journal* estas linhas:

"Além das memórias de Bismarck que, segundo pessoas bem informadas, contêm apenas a história oficial dos acontecimentos nos quais o grande Chanceler se viu envolvido, existe uma série de cartas confidenciais de interesse considerável.

Estas cartas foram encontradas. Sabemos, por boa fonte, que elas serão publicadas dentro em pouco."

Todos se lembram da repercussão no mundo inteiro dessa enigmática nota, os comentários que provocou, particularmente as polêmicas na imprensa alemã. Quem inspirara estas linhas? De que cartas se tratava? Que pessoas haviam escrito ao chanceler, ou quem recebera cartas dele? Seria uma vingança póstuma? Ou uma indiscrição cometida por um correspondente de Bismarck?

Outra nota incitou a opinião pública sobre determinados pontos, mas excitando-a ainda mais, de maneira estranha. Esta era assim redigida:

"Santé-Palace, cela 14, 2ª divisão.

Senhor Diretor do Grand Journal,

O senhor publicou em seu número de terça-feira um tópico segundo algumas palavras que deixei escapar outra noite, durante uma conferência que proferi na Santé a propósito de política estrangeira. Esse tópico, verídico em suas partes essenciais, merece uma pequena retificação. As cartas realmente existem, e ninguém pode contestar a importância excepcional das mesmas, pois há dez anos elas são motivo de buscas por parte do governo interessado. Mas ninguém sabe onde elas se encontram nem conhece uma só palavra nelas contida.

O público, estou certo, me perdoará por fazê-lo esperar antes de satisfazer sua curiosidade. Além de não ter em mãos todos os elementos necessários à procura da verdade, minhas atuais ocupações não me permitem dedicar a esse negócio todo o tempo que eu gostaria.

No momento, tudo o que posso dizer é que tais cartas foram confiadas pelo moribundo a um de seus amigos mais fiéis, e que esse amigo teve que suportar pesadas consequências por seu devotamento. Espionagem, buscas domiciliares, nada lhe foi poupado.

Ordenei a dois dos melhores agentes de minha polícia secreta para levantarem a pista desde o começo, e não tenho dúvida de que antes de dois dias serei capaz de desvendar este fascinante mistério.

Assinado: Arsène Lupin"

Era Arsène Lupin quem liderava o caso! Foi ele quem, do fundo da prisão, dirigiu a comédia ou a tragédia anunciada na primeira nota. Que aventura! Nós nos alegramos. Com um artista como ele, o espetáculo não poderia deixar de ser pitoresco e imprevisto.

"O nome do amigo dedicado a quem me referi foi revelado a mim. Trata-se do grão-duque Hermann III, príncipe reinante (ainda que deposto) do grão-ducado de Deux-Ponts-Veldenz, confidente de Bismarck, de quem era amigo fiel.

Uma busca foi feita em seu domicílio pelo conde de W, acompanhado por doze homens. O resultado desta busca foi negativo, mas nem por isso pode ser negado que o grão-duque estivesse com os papéis em seu poder.

Onde os terá escondido? É uma questão que ninguém no mundo poderá responder agora.

Peço vinte e quatro horas para resolver isso.

Assinado: Arsène Lupin."

Vinte e quatro horas depois a nota prometida apareceu:

"As famosas cartas estão escondidas no castelo feudal de Veldenz, capital do grão-ducado de Deux-Ponts, castelo parcialmente devastado durante o século XIX.

Em que lugar exato? E o que são, ao certo, estas cartas?

Estes são dois problemas em que estou trabalhando, e apresentarei a solução dentro de quatro dias.

Assinado: Arsène Lupin."

No dia anunciado, um exemplar do *Grand Journal* era disputado pelo povo. Mas para decepção geral as explicações prometidas não estavam ali. No dia seguinte o mesmo silêncio, e no outro dia também.

O que teria acontecido? Ficaram sabendo por uma indiscrição cometida na chefatura de polícia. O diretor da Santé, ao que parecia, fora prevenido de que Lupin se comunicava com seus cúmplices graças aos pacotes de envelopes que confeccionava. Nada conseguiram descobrir, mas por via das dúvidas o insuportável preso foi proibido de trabalhar.

Tomando conhecimento da proibição, o preso replicou:

— Já que não tenho mais nada a fazer, vou ocupar-me com meu processo. Previnam meu advogado, o presidente da Ordem dos Advogados, Dr. Quimbel.

Era verdade, Lupin, que até então recusara qualquer entendimento com maître Quimbel, consentia em recebê-lo e preparar sua defesa.

* * *

Já no dia seguinte, Dr. Quimbel, alegre, chamava Lupin ao parlatório dos advogados.

Era um homem idoso, de óculos de lentes muito grossas que tornavam seus olhos enormes. Pôs o chapéu sobre a mesa, descansou a pasta, e iniciou uma série de perguntas que preparara com cuidado.

Lupin respondeu com extrema boa vontade, até mesmo se perdendo numa série de detalhes que Dr. Quimbel anotou em fichas presas umas sobre as outras.

— E então — recomeçava o advogado, a cabeça debruçada sobre os papéis — está dizendo que nessa época...

— Digo que nessa época... — replicava Lupin.

Cautelosamente, em pequenos movimentos, com naturalidade, descansara os cotovelos na mesa. Baixou o braço pouco a pouco, enfiou a mão sob o chapéu do Dr. Quimbel, introduziu o dedo no interior do couro e pegou um papel dobrado em sentido longitudinal, como esses que se põe entre o forro e o chapéu quando está grande demais.

Desdobrou o papel. Era uma mensagem de Doudeville, redigida nos termos combinados.

"Estou trabalhando como criado de quarto de Dr. Quimbel. Pode, sem receio, responder-me pelo mesmo meio. Foi L. M., o assassino, quem denunciou o truque dos envelopes. Felizmente o senhor previu esse golpe!"

Seguia-se um relatório minucioso de todos os fatos e comentários suscitados pelas notas de Lupin.

Lupin tirou do bolso um pedaço semelhante contendo instruções, substituiu cuidadosamente o outro e retirou a mão. O truque estava feito.

E a correspondência de Lupin com o Grand Journal logo recomeçou:

"Desculpo-me junto ao público por ter faltado à minha promessa. O serviço postal do Santé-Palace é deplorável.

Por outro lado, estamos chegando ao fim. Tenho em mãos os documentos que estabelecem a verdade em bases indiscutíveis. Esperarei para publicá-las. Saibam no entanto o seguinte: entre as cartas remetidas ao Chanceler há algumas endereçadas por aquele que, então, se declarava seu aluno e admirador, e que deveria, vários anos mais tarde, livrar-se deste incômodo tutor e governar por si mesmo.

Estou me fazendo compreender com clareza?"

E no dia seguinte:

"Estas cartas foram escritas durante a doença do último imperador. Será preciso falar de sua importância?"

Quatro dias de silêncio e depois esta última nota:

"Meu inquérito terminou. Agora sei tudo. Tendo refletido bastante, adivinhei o segredo do esconderijo...

Meus amigos vão a Veldenz, e, apesar de todos os obstáculos, penetrarão no castelo por uma entrada que lhes indiquei.

Os jornais então publicarão as fotos destas cartas, das quais conheço o teor, mas que desejo reproduzir em seu texto integral.

Esta publicação, certa, inevitável, terá lugar dentro de duas semanas, ou seja, dia 22 de agosto próximo.

Daqui até lá eu me calo... e espero."

Os comunicados ao Grand Journal foram interrompidos, mas Lupin não deixou de se corresponder com seus amigos, usando como correio o "chapéu", como diziam entre si. Era tão simples! Nenhum perigo. Quem poderia pensar que o chapéu de Dr. Quimbel servisse de caixa postal a Lupin? De duas em duas, ou de três em três manhãs, a cada visita o célebre advogado trazia fielmente a correspondência de seu cliente: cartas de Paris, cartas da província, cartas da Alemanha, tudo resumido, condensado por Doudeville em fórmulas breves e em linguagem cifrada.

E uma hora mais tarde, Dr. Quimbel transportava, gravemente, as ordens de Lupin.

Ora, um dia o diretor da Santé recebeu uma mensagem, assinada L. M. avisando-o que Dr. Quimbel, segundo todas as probabilidades, servia de carteiro inocente, e que seria interessante vigiar as visitas do bom homem.

O diretor alertou Dr. Quimbel que então resolveu fazer-se acompanhar por seu secretário.

Assim, mais uma vez, apesar dos esforços de Lupin, apesar de sua fecundidade de invenção, apesar dos milagres de engenhosidade que se renovavam a cada insucesso, mais uma vez Lupin ficava isolado do mundo exterior pelo gênio infernal do seu incrível adversário.

Ele estava isolado no instante mais crítico, no solene minuto em que, do fundo de sua cela, jogava seu último trunfo contra as forças conjugadas que tão terrivelmente o atormentavam.

A 13 de agosto, como estivesse sentado diante de seus dois advogados, teve a atenção despertada por um jornal que embrulhava certos papéis de Dr. Quimbel. Em manchete, com tipos bem graúdos:

"813".

Como subtítulo:

"Um novo assassinato. Agitação na Alemanha. O segredo de "Apoon" terá sido descoberto!"

Empalideceu de aflição. Abaixo lera estas palavras:

"Dois telegramas sensacionais chegaram nas últimas horas.

Encontraram, perto de Augsbourg, o cadáver de um velho degolado a golpes de faca. Sua identidade foi descoberta: é o Sr. Steinweg, que esteve envolvido no caso Kesselbach.

Outra informação é que o famoso detetive inglês Herlock Sholmes foi apressadamente enviado à Colônia. Ele ali se encontrará com o imperador e juntos irão ao castelo de Veldenz.

Herlock Sholmes prontificou-se a descobrir o segredo de "Apoon".

Se conseguir, será o malogro impiedoso da incompreensível campanha que Arsène Lupin vem mantendo há um mês de maneira tão estranha."

* * *

A curiosidade pública nunca foi tão sacudida como pelo anunciado duelo entre Sholmes e Lupin, duelo invisível nas atuais circunstâncias — poderemos dizer anônimo. Um duelo impressionante pelo escândalo levantado em torno da aventura e pela parada que disputavam os dois inimigos irreconciliáveis, frente a frente mais uma vez.

Não se tratava de pequenos interesses particulares, roubos insignificantes, miseráveis paixões individuais, mas de um caso de âmbito internacional, onde a política de três grandes nações do Ocidente estava envolvida, e que podia perturbar a paz do universo.

Nesta época a crise do Marrocos já existia. Uma simples fagulha, e seria a guerra.

Assim, esperavam ansiosamente sem saber bem o quê. Porque finalmente, se o detetive saísse vencedor do duelo, se encontrasse as cartas, quem o saberia? Que prova teriam deste triunfo? No fundo esperavam Lupin, com seu hábito de manter o público a par de seus atos. Que iria ele fazer? Como poderia conjurar o espantoso perigo que o ameaçava? Teria conhecimento do mesmo? Entre as quatro paredes de sua cela, o preso n.º 14 fazia a si mesmo quase as mesmas perguntas, e não era uma vã curiosidade que o estimulava mas uma inquietação real, uma angústia de todos os instantes.

Sentia-se só, com as mãos amarradas, uma vontade impotente, um cérebro inoperante. Mesmo sendo hábil, engenhoso, intrépido, heroico, isto não servia para mais nada. A luta se travava longe dele. Agora seu papel estava terminado. Juntara as peças, esticara as molas da grande máquina que devia produzir, que devia de qualquer forma fabricar mecanicamente sua liberdade, e era absolutamente impossível fazer algo para aperfeiçoar ou superintender sua obra. Na data fixada, a solução teria lugar. Até lá, incidentes adversos poderiam surgir, mil obstáculos aparecer, sem que ele tivesse meios de combatê-los.

Lupin conheceu então as horas mais dolorosas de sua vida. Duvidou de si mesmo. Perguntou-se se sua existência não se encerraria no horror da prisão.

Não se enganara em seus cálculos? Não seria uma infantilidade acreditar que na data prefixada dar-se-ia a libertação?

— Loucura — exclamava ele —, meu raciocínio é falso... Como admitir tal conjunto de circunstâncias? Aconteceria um pequeno fato que destruiria tudo... um grão de areia...

A morte de Steinweg e o desaparecimento dos documentos que o velho devia entregar-lhe não o aborreciam. Os documentos praticamente poderiam ser dispensados, e devido às poucas palavras ditas por Steinweg podia — à força de adivinhação e gênio — reconstituir o que continham as cartas do imperador e traçar um plano de combate que lhe traria a vitória. Mas pensava em Herlock Sholmes, que estava lá, no centro do campo de batalha, e que procurava e encontraria as cartas, demolindo o edifício tão pacientemente construído.

Pensou no outro, o Inimigo implacável, emboscado, talvez escondido na própria prisão, que adivinhava seus planos mais secretos, antes mesmo que eles se delineassem em seu pensamento.

O 17 de agosto... o 18 de agosto... o 19... Ainda dois dias... Dois séculos, melhor dizendo! Oh! os minutos intermináveis! Geralmente tão calmo, tão seguro de si, tão engenhoso em se divertir, Lupin estava febril, ora exuberante, ora oprimido, sem força contra o inimigo, desconfiando de tudo, lento.

O 20 de agosto... , Queria agir mas não podia. Por mais que fizesse, era impossível adiantar a hora do desenlace. Este desenlace teria lugar ou não, mas Lupin não teria certeza antes que a última hora do dia se passasse até o último minuto. Só então ele saberia do fracasso definitivo de sua combinação.

— Fracasso inevitável — não cessava de repetir a si mesmo, — a vitória depende de circunstâncias tão sutis e só pode ser alcançada por meios psicológicos... É fora de dúvida que estou me iludindo sobre o valor e o alcance das minhas armas... No entanto...

Voltava-lhe a esperança. Pesava suas possibilidades. De repente elas pareciam reais e ponderáveis. O fato ia produzir-se como previra e pelas razões que previra. Era inevitável...

Sim, inevitável. A menos, porém, que Sholmes encontrasse o esconderijo...

E novamente pensava em Sholmes, e novamente um imenso desânimo o invadia.

O último dia...

Acordou tarde, depois de uma noite de pesadelos.

Não viu ninguém nesse dia, nem o juiz de instrução nem o seu advogado.

A tarde arrastou-se lenta e morna e a noite chegou, a tenebrosa noite das celas... Teve febre. Seu coração dançava no peito como um animal enjaulado...

E os minutos passavam, irrecuperáveis...

Às nove horas nada. Às dez horas nada.

Com todos os nervos retesados como a corda de um arco, escutava os ruídos quase indistintos da prisão, procurava compreender através dessas paredes impenetráveis o que se poderia ouvir da vida exterior.

Como gostaria de poder parar a marcha do tempo e deixar ao destino um pouco mais de oportunidade! Mas, afinal, para quê! Não estava tudo terminado?

— Ah! — exclamou —, fico louco. Que tudo se acabe de uma vez! Deve ser melhor... Recomeçarei de outra forma... experimentarei outra coisa...mas não posso mais, não posso mais.

Segurava a cabeça entre as mãos, apertando-a com toda a força, fechado em si, concentrando todo seu pensamento na mesma ideia, como se quisesse criar o acontecimento formidável, assombroso, inadmissível, ao qual dedicara sua independência e sua fortuna.

— É preciso que isso aconteça, é preciso, e é preciso não apenas porque eu quero mas porque a lógica assim o manda. E assim será... assim será... — murmurou.

Bateu na cabeça com os punhos fechados e palavras de delírio lhe subiram aos lábios...

A fechadura rangeu. Em sua raiva não ouvira os passos no corredor e eis que de repente um raio de luz penetrava na cela, com a porta entreaberta.

Três homens entraram.

Lupin não manifestou surpresa.

O milagre espantoso acontecia e isto imediatamente pareceu-lhe natural, normal, num acordo perfeito com a verdade e a justiça.

Mas foi tomado por uma onda de orgulho. Neste minuto teve verdadeiramente a sensação nítida de sua força e inteligência.

— Devo acender a luz? — perguntou um dos três homens, em quem Lupin reconheceu o diretor da prisão.

— Não — respondeu o mais alto dos seus companheiros com um sotaque estrangeiro. — Esta lanterna é o bastante.

— Devo partir?

— Faça de acordo com seu dever, senhor — declarou o mesmo indivíduo.

— Segundo as instruções que me foram dadas pelo chefe de polícia, devo conformar-me inteiramente com vossos desejos.

— Neste caso, senhor, é preferível que saia.

O Sr. Borély se foi deixando a porta entreaberta, e ficou do lado de fora, ao alcance da voz.

O visitante entreteve-se um instante com aquele que nada falara, e Lupin procurou, sem resultado, distinguir na sombra suas fisionomias. Via apenas silhuetas negras, vestidas com amplos capotes de automobilistas e cobertos por bonés com as palas abaixadas.

— O senhor é mesmo Arsène Lupin? — disse o homem iluminando-lhe o rosto.

Sorriu:

— Sim, eu mesmo, o Arsène Lupin, atualmente detido na Santé, cela 14, segunda divisão.

— Publicou no *Grand Journal* uma série de notícias mais ou menos fantasiosas, onde se fala em determinadas cartas...

Lupin interrompeu:

— Perdão, senhor, mas antes de continuar esta conversa cujo fim, entre nós, não me parece muito claro, gostaria de saber a quem tenho a honra de falar.

— Isto é desnecessário! — respondeu o estrangeiro.

— Absolutamente indispensável — afirmou Lupin.

— Por quê?

— Por questão de delicadeza, senhor. Sabe meu nome e eu não sei o seu; existe aí uma falta de correção que não posso admitir.

O estrangeiro se impacientou.

— O simples fato de o diretor desta prisão nos ter trazido prova...

— Que o Sr. Borély ignora noções elementares de civilidade — disse Lupin. — O Sr. Borély devia apresentar-nos um ao outro. Estamos em pé de igualdade, senhor. Não há um superior nem um subalterno, um prisioneiro ou um visitante que condescende em vê-lo. Há dois homens e um desses homens tem na cabeça um chapéu que não deveria ter.

— Ah! isso, mas...

— Aceite a lição como queira, senhor — disse Lupin. O estrangeiro aproximou-se e quis falar.

— O chapéu, antes de tudo — insistiu Lupin. — O chapéu...

— O senhor me escutará!

— Não. — Sim.

— Não.

Os ânimos se exasperavam estupidamente. O estrangeiro, que se calara, pôs a mão no ombro do seu interlocutor e disse em alemão:

— Deixe-me fazer.

— Como! Estava combinado...

— Cale-se e saia.

— Quer que o deixe só?...

— Quero.

— Mas a porta?

— Você a fechará quando passar...

— Mas este homem... já o conhece... Arsène Lupin...

— Saia.

O outro saiu praguejando.

— Puxe a porta — gritou o segundo visitante... — Melhor do que isto... Com efeito... Bem...

Então voltou, pegou a lanterna e levantou-a devagar.

— Devo dizer quem sou? — perguntou.

— Não — respondeu Lupin.

— E por quê?

— Porque já sei.

— Ah!

— É quem eu já esperava.

— Eu?

— Sim, senhor.

CARLOS MAGNO

— Silêncio! — disse rispidamente o estrangeiro. — Não pronuncie esta palavra.

— Como devo chamá-lo...

— Sem nome.

Ambos ficaram em silêncio, e este momento de descanso não era dos que precedem a luta de dois adversários prontos a combater. O estrangeiro caminhava de um lado para outro como um chefe acostumado a comandar e a ser obedecido. Lupin, imóvel, não mantinha mais a habitual atitude de provocação nem o sorriso de ironia. Esperava, o rosto sério. Mas no fundo do seu ser, ardentemente, loucamente, vivia a situação prodigiosa em que se encontrava, ali, naquela cela de prisioneiro, ele preso, o aventureiro, o escroque, o ladrão Arsène Lupin... e a sua frente este semideus do mundo moderno, entidade formidável, herdeiro de César e de Carlos Magno.

Seu próprio poder embriagava-o um pouco. Lágrimas vieram-lhe aos olhos, pensando em seu triunfo.

O estrangeiro parou.

E rapidamente, desde a primeira frase, as posições foram tomadas.

— É amanhã o 22 de agosto. As cartas devem ser publicadas amanhã, não é?

— Ainda esta noite. Dentro de duas horas meus amigos devem entregar ao *Grand Journal* ainda não as cartas mas a lista das mesmas, anotadas pelo grão-duque Hermann.

— Esta lista não será entregue.

— Não será.

— O senhor me entregará.

— Ela será entregue ... em suas mãos.

— Todas as cartas igualmente.

— Igualmente todas as cartas.

— Sem que nenhuma seja fotografada.

— Sem que nenhuma seja fotografada.

O estrangeiro falava num tom de voz calmo, onde não havia o menor sotaque nem a menor inflexão de autoridade. Ordenava, não questionava: ele anunciava atos inevitáveis de Arsène Lupin. Seria assim. E assim seria, quaisquer que fossem as exigências de Arsène Lupin, qualquer que fosse o preço exigido pela aceitação destes atos. As condições estavam aceitas a priori.

— Por Deus — disse a si mesmo Lupin —, tenho um adversário à altura. Se apela para a minha generosidade estou perdido.

A forma pela qual a conversação tivera lugar, a franqueza das palavras, a sedução da voz e das maneiras, tudo lhe agradava infinitamente.

Inteiriçou-se para não fraquejar e abrir mão de todas as vantagens que conseguira tão duramente.

O estrangeiro retomou:

— Leu as cartas?

— Não.

— Algum dos seus as leu?

— Não.

— Então?

— Então eu tenho a lista das anotações do grão-duque. E conheço o esconderijo dos papéis.

— Por que ainda não os apanhou?

— Só fiquei sabendo da localização do esconderijo depois de estar aqui. Atualmente meus amigos estão a caminho.

— O castelo está guardado: duzentos dos meus homens, os melhores, o ocuparam.

— Dez mil não bastariam.

Depois de um instante de reflexão o visitante perguntou:

— Como conhece o segredo?

— Adivinhei.

— Mas tinha outras informações, outros elementos que os jornais não publicaram?

— Não, nada.

— No entanto, durante quatro dias mandei dar uma busca no castelo...

— Herlock Sholmes procurou mal.

— Ah! — fez o estrangeiro para si mesmo. — É estranho... é estranho... Está certo de que sua suposição é verdadeira?

— Não é suposição; é uma certeza.

— Tanto melhor, tanto melhor — murmurou ele. — Só haverá tranquilidade quando tais papéis não mais existirem.

E parando bruscamente diante de Arsène Lupin:

— Quanto?

— O quê? — disse Lupin embaraçado.

— Quanto pelos papéis? Quanto pela não revelação do segredo? Esperava uma cifra. Chegou a propor:

— Cinquenta mil?... cem mil?...

E como Lupin não respondesse, disse um pouco hesitante:

— Mais ainda?

— Duzentos mil? Aceita?.

Lupin sorriu e disse em voz baixa:

— A quantia é bonita. Mas não é provável que um determinado monarca, digamos, o rei da Inglaterra, chegasse até a um milhão? Sinceramente?

— Acredito.

— E que estas cartas para o imperador não têm preço, valem tanto dois milhões como duzentos mil francos... tanto três milhões como dois milhões?

— Penso que sim.

— E se fosse necessário, o imperador não daria até três milhões?

— Sim.

— Então o acordo é fácil.

— Nessa base? — exclamou o estrangeiro com certa inquietação.

— Nessa base não... Não procuro dinheiro. É outra coisa que desejo, uma outra coisa que para mim vale mais do que alguns milhões.

— O quê?

— A liberdade.

O estrangeiro sobressaltou-se:

— Hein! Sua liberdade... mas não posso fazer nada... Isto será com o seu país... a justiça... Não tenho nenhum poder.

Lupin aproximou-se e baixando ainda mais a voz:

— Tem todo o poder, senhor... Minha liberdade não é algo tão excepcional para que lhe respondam negativamente.

— É preciso então pedi-la?

— É.

— A quem?

— A Valenglay, presidente do Conselho de Ministros.

— Mas o Sr. Valenglay, ele próprio, não pode mais do que eu...

— Ele pode me abrir as portas da prisão.

— Seria um escândalo.

— Quando eu digo abrir... entreabrir me bastaria. Simularíamos uma fuga... o público conta tanto com ela que não faria muitas perguntas.

— Seja... seja... Mas nunca o Sr. Valenglay consentirá...

— Ele consentirá.

— Por quê?

— Porque o senhor manifestará este desejo.

— Meus desejos não são ordens para ele.

— Entre governos são coisas que se fazem. E Valenglay é bastante político...

— Ora vamos, acredita que o governo francês vá cometer um ato tão arbitrário apenas pela alegria de me ser agradável?

— Esta alegria não será a única.

— Qual será a outra?

— A alegria de servir à França aceitando a proposta que acompanhará o pedido de liberdade.

— Farei uma proposta?

— Fará, senhor.

— Qual?

— Não sei, mas parece que existe sempre um terreno favorável para entendimentos... há possibilidades de acordo...

O estrangeiro olhava sem compreender. Lupin debruçou-se e como se procurasse as palavras, como se aventasse uma hipótese:

— Suponho que os dois países estejam divididos por uma questão insignificante... que tenham pontos de vista diferentes sobre um negócio secundário... um caso colonial, por exemplo, onde o amor próprio de ambos esteja em jogo, mais do que seus próprios interesses... Julga impossível que o chefe de um destes países venha ele próprio tratar do caso com um espírito novo de conciliação?... e dar as instruções necessárias para...

— Para que eu deixe o Marrocos para a França — disse o estrangeiro estourando de riso.

A ideia sugerida por Lupin parecia-lhe a coisa mais cômica do mundo, e ria com gosto. Havia uma tal desproporção entre o fim a atingir e os meios oferecidos!

— Evidentemente... evidentemente... — retomou o estrangeiro fazendo o possível, esforçando-se para reassumir a seriedade —, evidentemente é uma ideia original... Toda a política moderna transformada para que Arsène Lupin ganhe a liberdade! Os projetos do Império destruídos para permitir que Arsène Lupin continue suas aventuras!... Não, mas por que não me pediu a Alsácia-Lorena?

— Pensei nisto, senhor. — disse Lupin.

O estrangeiro recuperou sua alegria.

— Admirável! E deixou que ficasse comigo?

— Desta vez sim.

Lupin cruzara os braços. Também se divertia exagerando seu papel e continuou com uma seriedade afetada:

— Um dia poderá se produzir uma série de circunstâncias tais que eu tenha em mãos o poder de reclamar e de obter essa restituição. Esse dia, não o esquecerei. Por enquanto, com as armas de que disponho, sou mais modesto. A paz no Marrocos me basta.

— Apenas isso?

— Apenas isso.

— O Marrocos pela sua liberdade?

— Nenhuma vantagem... ou melhor, porque não se deve perder de vista o objeto de nossa conversa: um pouco de boa vontade da parte de um dos dois grandes países em questão... e em troca, a entrega de cartas que se encontram em meu poder.

— Estas cartas!... Estas cartas!... — murmurou o estrangeiro com irritação. — Além de tudo talvez elas nem sejam de tanto valor...

— São, e dá tanto valor que veio até mim, nesta pequena cela.

— Pois bem, que importa?

— Mas há outras sobre as quais posso fornecer algumas informações.

— Ah! — fez o estrangeiro com um ar inquieto.

Lupin hesitou.

— Fale, fale sem rodeios — ordenou o estrangeiro. — Fale claramente.

No silêncio profundo Lupin declarou com certa solenidade:

— Há vinte anos, um projeto de tratado foi elaborado entre a Alemanha, a Inglaterra e a França.

— É falso! É impossível! Que poderia?...

— O pai do atual imperador e a Rainha da Inglaterra, sua avó, ambos sob a influência da Imperatriz...

— Impossível! Repito que é impossível!

— A correspondência está escondida no castelo de Veldenz, esconderijo de que só eu conheço o segredo.

O estrangeiro ia e vinha agitadamente. Parou e disse:

— O texto do tratado faz parte desta correspondência?

— Faz, senhor. Ele está escrito do próprio punho de vosso pai.

— E que diz ele?

— Por esse tratado, a Inglaterra e a França concediam e prometiam à Alemanha um império colonial imenso, esse império que ela não tem e que lhe é indispensável hoje para assegurar sua grandeza, tão grande para que ela abandone os sonhos de hegemonia e que se resigne a ser... o que ela é.

— E em troca desse império a Inglaterra exigia?

— A limitação da armada alemã.

— E a França?

— A Alsácia-Lorena.

O imperador calou-se, apoiado na mesa, pensativo.

Lupin prosseguiu:

— Tudo estava pronto. Os gabinetes de Paris e de Londres, devidamente consultados, aceitaram. Era coisa feita.

O grande acordo de aliança ia se concluir, fundando a paz universal e definitiva. A morte de vosso pai destruiu este belo sonho. Mas eu pergunto a Vossa Majestade o que pensará seu povo, o que pensará o mundo, quando souber que Frederico III, um dos heróis de 70, um alemão, um alemão puro-sangue, respeitado por todos os seus concidadãos e mesmo por seus inimigos, aceitava e por consequência achava justa a restituição da Alsácia-Lorena.

Calou-se um instante, deixando o problema assentar em termos precisos na consciência do imperador, diante sua consciência de homem, filho e soberano.

Depois concluiu:

— Vossa Majestade é quem deve dizer se quer ou não que a história registre este tratado. Quanto a mim, pode ver que minha humilde personalidade não tem muito lugar neste debate.

Um longo silêncio seguiu as palavras de Lupin. Esperou aflito. Era o seu destino que estava sendo jogado nesse minuto que concebera e que de certa forma criara com tanto esforço e obstinação... Minuto histórico, nascido de seu cérebro e onde sua "humilde personalidade", entretanto, pesava sobre a sorte dos impérios e sobre a paz do mundo.

A sua frente, na sombra, César pensava.

Que iria ele dizer? Que solução daria ao problema? Andou pela cela durante alguns instantes que pareceram intermináveis a Lupin.

Depois parou e disse:

— Há outras condições?

— Mas insignificantes.

— Quais?

— Encontrei o filho do grão-duque de Deux-Ponts-Veldenz. O grão-ducado lhe será devolvido.

— E depois?

— Ele ama uma jovem que o ama igualmente, a mais bela e virtuosa das mulheres. Ele se casará com essa jovem.

— E depois?

— É tudo.

— Não quer mais nada?

— Nada. Basta que Vossa Majestade faça entregar esta carta ao diretor do *Grand Journal* para que ele destrua, sem ler, o artigo que receberá dentro de alguns momentos.

Lupin entregou-lhe a carta com o coração apertado, a mão trêmula. Se o imperador a pegasse, seria uma prova de aceitação.

O imperador hesitou, depois, com um gesto furioso, tomou a carta, recolocou o chapéu, envolveu-se em suas vestimentas e saiu sem dizer uma palavra.

Lupin ficou alguns instantes cambaleante, como atordoado...

Depois, de repente, caiu sobre a cadeira, gritando de alegria e orgulho.

* * *

— Senhor juiz de instrução, é hoje que tenho o pesar de transmitir-lhe minhas despedidas.

— Como, Sr. Lupin, tem intenção de nos deixar?

— A contragosto, senhor juiz de instrução, esteja seguro disto, pois nossas relações sempre foram de uma cordialidade encantadora. Mas não há prazer que não acabe. Minha estadia no Santé-Palace terminou. Outros deveres me chamam. É preciso que eu fuja esta noite.

— Boa sorte então, Sr. Lupin.

— Obrigado, senhor juiz de instrução.

Então, Arsène Lupin esperou pacientemente, a hora de sua fuga, não sem se perguntar como seria levada a cabo e quais os meios pelos quais a França e a Alemanha, reunidas nessa obra meritória, conseguiriam realizá-la sem escândalo.

No meio da tarde o carcereiro mandou ele se apresentar no pátio de entrada. Foi apressadamente e encontrou o diretor, que o entregou nas mãos do Sr. Weber, e o próprio Sr. Weber fez com que subisse a um carro onde já se encontrava alguém.

De repente Lupin teve um acesso de riso:

— Como! É você, meu pobre Weber, é você que aguentará o trabalho! Você que será o responsável pela minha fuga? Confesse que não tem sorte! Ah! Meu pobre velho, que encrenca! Tornado ilustre com a minha prisão, eis que você se torna imortal com a minha fuga.

Olhou o outro personagem.

— Vamos, senhor chefe de polícia, também está no negócio? Belo presente que lhe fizeram, não? Se pudesse dar-lhe um conselho diria que ficasse nos bastidores... A Weber, toda a honra! Ele merece isso... Aguenta bem, é forte!...

Corriam paralelo ao Sena e por Boulogne. Em Saint-Cloud, atravessaram.

— Perfeito — disse Lupin —, vamos a Garches! Precisam de mim para fazer a reconstituição da morte de Altenheim. Desceremos aos subterrâneos, eu desaparecerei, e dirão que sumi por outra saída que apenas eu conhecia. Meu Deus, que asneira! Parecia desolado.

— Idiota, mais do que idiota! Chego a me ruborizar de vergonha... E são estas as pessoas que nos governam!... Que época! Mas, infelizes, deveriam ter falado comigo! Eu teria escolhido uma fuga inventada, quase milagrosa. Bastaria consultar meus fichários! O público teria vibrado com o prodígio e eu estaria feliz e contente. Em lugar disso... Afinal, sei bem que foram apanhados de surpresa... Mas de qualquer maneira...

O programa era exatamente como Lupin previra. Entraram pela casa de repouso até o pavilhão Hortense. Lupin e seus dois companheiros desceram e atravessaram o subterrâneo. No final deste o chefe disse:

— Está livre.

— Ora muito bem! — disse Lupin. — É apenas assim, sem mais nada! Meus agradecimentos, meu caro Weber, e minhas desculpas pelo trabalho que lhe dei. Chefe, minhas homenagens a sua senhora.

Subiu as escadas que levavam à Vila das Glicínias, levantou o alçapão, e saltou para dentro de uma peça.

Uma pesada mão abateu-se sobre seu ombro.

A sua frente estava o primeiro visitante da véspera, o que acompanhava o imperador. Quatro homens estavam ao seu lado à direita e à esquerda.

— Ora essa! — disse Lupin — De que espécie de brincadeira se trata? Então não estou livre?

— Está — grunhiu o alemão com sua voz rude —, livre de viajar com nós cinco... se assim o desejar.

Lupin contemplou-o um segundo, com uma vontade irresistível de mostrar-lhe o valor de um soco no nariz.

Mas os cinco homens pareciam decididos. Seu chefe não mostrava por ele nenhuma ternura e pensava que até mesmo tivesse certas ideias de empregar medidas mais extremadas. E afinal de contas, o que lhe importava? Zombou:

— Claro que desejo! É mesmo meu sonho!...

No pátio um grande carro os esperava. Dois homens subiram na frente e dois atrás. Lupin e o estrangeiro sentaram-se no banco do fundo.

— A caminho — exclamou Lupin em alemão —, a caminho para Veldenz.

O conde disse-lhe:

— Silêncio! Eles não devem saber de nada. Fale francês. Não compreendem. Mas para que falar?

— Realmente — monologou Lupin —, para que falar?

Viajaram no carro durante toda a tarde e toda a noite, sem incidentes.

Duas vezes pararam para abastecer-se em pequenas cidades adormecidas.

Um de cada vez, os alemães vigiaram seu prisioneiro, que somente abriu os olhos ao amanhecer...

Pararam para a primeira refeição em um albergue situado numa colina, perto do qual havia um marco. Lupin viu que se encontravam a uma distância igual de Metz e Luxemburgo. De lá tomaram um caminho que voltava para nordeste, do lado de Trèves.

Lupin disse a seu companheiro de viagem:

— É mesmo ao conde de Waldemar que tenho a honra de falar, o confidente do imperador, aquele que deu a busca em casa de Hermann III em Dresden?

O estrangeiro permaneceu mudo.

— Você — pensou Lupin — tem uma cabeça que não me agrada. Você me pagará por isso um dia ou outro. É feio, rude, maciço; em poucas palavras, você me desagrada.

E acrescentou em voz alta:

— Senhor conde, está agindo errado não me respondendo. Falo em seu interesse: vi no momento em que subíamos um automóvel atrás de nós. O senhor o viu?

— Não, por quê?

— Nada.

— Entretanto...

— Não, nada demais... uma simples lembrança... Além disso temos dez minutos de dianteira... e nosso automóvel tem pelo menos quarenta cavalos.

— Sessenta — disse o alemão observando-o com o canto dos olhos.

— Oh! Então podemos estar tranquilos.

Subiram uma pequena ladeira. No alto, o conde debruçou-se na porta.

— Diabo! — praguejou ele.

— O que é? — perguntou Lupin.

O conde voltou-se para ele e com voz ameaçadora disse:

— Tome cuidado... Se acontecer qualquer coisa, tanto pior.

— Eh! eh! Parece que o outro se aproxima... Mas o que teme, meu caro conde? É sem dúvida um viajante... talvez até um socorro que nos enviam.

— Não preciso de socorro — rosnou o alemão. Debruçou-se. novamente.

O auto não estava a mais de duzentos ou trezentos metros.

Disse a seus homens apontando Lupin:

— Amarrem-no! E se ele resistir...

Tirou o revólver.

— Por que eu resistiria, meu doce teutão? — zombou Lupin.

E acrescentou enquanto lhe amarravam as mãos:

— É mesmo curioso ver como as pessoas tomam cuidados quando isso é inútil e não os tomam quando necessário. Que diabo pode fazer-lhes este auto? Meus cúmplices? Que ideia! Sem responder, o alemão ordenou ao motorista:

— À direita!... Devagar... Deixe que eles passem... Se diminuírem a marcha também pare! Mas para sua grande surpresa o auto, ao contrário, pareceu redobrar de velocidade. Como uma tromba ele ultrapassou o carro, deixando atrás de si uma nuvem de poeira.

De pé, atrás do carro em parte descoberto, podia-se distinguir um homem vestido de preto.

Ele levantou o braço.

Dois tiros soaram.

O conde, que ocupava toda a janela da porta esquerda, caiu para trás, no chão do carro.

Antes mesmo de se ocuparem dele, seus dois companheiros atiraram-se sobre Lupin e acabaram por imobilizá-lo fortemente.

— Imbecis! Estúpidos! — gritou Lupin, que tremia de raiva. — Ao contrário, soltem-me! Por que parar? Triplos idiotas, corram atrás... Peguem-no!... É o homem de preto... o assassino... Ah! imbecis!...

Amordaçaram-no. Depois se ocuparam do conde. O ferimento não parecia grave e fizeram um ligeiro curativo. Mas o doente, muito excitado, foi tomado por um acesso de febre e pôs-se a delirar.

Eram duas horas da manhã. Encontravam-se em pleno campo, longe de qualquer cidade. Os homens não tinham nenhuma indicação sobre o objetivo exato da viagem. Onde ir? A quem prevenir? Encostaram o carro na margem do caminho e esperaram.

Passou-se assim todo o dia. Somente à noite um pelotão de cavalaria chegou, enviado de Trèves à procura do automóvel.

Duas horas mais tarde Lupin descia da limusine e, sempre escoltado por dois alemães, subia, à luz de uma lanterna, os degraus de uma escada que levava a um pequeno quarto com as janelas gradeadas.

Passou-se a noite.

No dia seguinte um oficial conduziu-o por um pátio cheio de soldados até o centro de uma longa série de construções que rodeavam a base de uma pequena colina, onde podiam ser vistas ruínas monumentais.

Levaram-no para uma vasta peça sumariamente mobiliada. Sentado diante de uma mesa, seu visitante da antevéspera lia os jornais e relatórios, onde anotava com grandes traços de um lápis vermelho.

— Deixem-nos sós — disse ele ao oficial. E aproximando-se de Lupin:

— Os papéis.

O tom não era mais o mesmo. Era autoritário, seco, do mestre que está em sua própria casa e que se dirige a um inferior — e que inferior! Um escroque, um aventureiro da pior espécie — diante do qual fora obrigado a humilhar-se.

— Os papéis — repetiu.

Lupin não se perturbou. Disse calmamente:

— Estão no castelo de Veldenz.

— Nós estamos nas propriedades do castelo de Veldenz.

— Os papéis estão nessas ruínas.

— Vamos. Leve-me até eles. Lupin não se mexeu.

— Então?

— Pois bem, senhor, não é tão simples como acredita. É preciso um certo tempo para pôr em jogo os elementos necessários à abertura desse esconderijo.

— De quantas horas precisa?

— Vinte e quatro.

Um gesto de cólera logo reprimido.

— Ah! não houve nada combinado a esse respeito entre nós.

— Nada foi combinado... como também não o foi a pequena viagem a que fui obrigado, entre seis homens de sua guarda. Devo entregar-lhe os papéis, eis tudo.

— E eu só devo deixá-lo livre, contra a entrega destes papéis.

— Questão de confiança, senhor. Eu de qualquer forma me sentiria obrigado a entregar-lhe tais papéis se estivesse livre, ao sair da prisão, e Vossa Majestade pode estar certa de que eu não ficaria com eles. A única diferença é que eles já estariam em seu poder. Porque perdemos um dia. E um dia nesse negócio... é um dia perdido. Somente, como vê, é necessário confiar.

O imperador olhava com certa surpresa esse marginal, esse bandido que parecia ofendido por terem duvidado de sua palavra.

Sem responder, tocou uma campainha.

— O oficial de serviço — ordenou ele.

O conde de Waldemar apareceu muito pálido.

— Ah! é você Waldemar? Está melhor?

— Às vossas ordens, senhor.

— Tome cinco homens com você... os mesmos, pois está seguro deles.

Você não deixará este... este senhor, até amanhã pela manhã.

Olhou o relógio.

— Até amanhã pela manhã, às dez horas... Não, eu lhe dou até o meio-dia. Você irá onde ele quiser ir e fará o que ele mandar. Enfim, fica à disposição dele. Ao meio-dia irei ao seu encontro. Se na última badalada do relógio, ao meio-dia, ele não tiver devolvido o pacote com as cartas, você tomará novamente o carro e sem perder um segundo sequer o devolverá à prisão da Santé.

— Se ele procurar fugir... — Isso é com você. Saiu.

Lupin pegou um charuto sobre a mesa e atirou-se numa cadeira.

— Até que enfim! Prefiro este modo de agir. É franco e categórico.

O conde fizera cem que seus homens entrassem. Disse a Lupin:

— Vamos andando! Lupin acendeu o charuto e não se moveu.

— Amarrem-lhe as mãos! — disse o conde. E quando a ordem foi cumprida, repetiu:

— Vamos... andando! — Não.

— Como não? — Estou pensando.

— Em quê? — No lugar do esconderijo, onde possa estar. O conde sobressaltou-se:

— Como? Ainda não sabe? — Por minha vida — zombou Lupin —, e é o que há de mais engraçado nesta aventura: não tenho a menor ideia sobre o famoso esconderijo nem os meios de descobri-lo. Que me diz, meu caro Waldemar? É engraçado isto... não tenho a menor ideia...

AS CARTAS DO IMPERADOR

As ruínas de Veldenz, bem conhecidas por todos que visitam as margens do Reno e do Mosele, são vestígios do antigo castelo feudal, construído em 1277 pelo arcebispo de Fistingen e, além de uma enorme torre, arrombada pelas tropas de Turenne, os muros intactos de um vasto palácio da Renascença, onde os grão-duques de Deux-Ponts moravam há três séculos.

Esse palácio é que foi saqueado pelos camponeses revoltados de Hermann II. As janelas vazias abrem duzentos buracos escancarados para as quatro fachadas. Todas as madeiras, as tapeçarias, a maior parte dos móveis, foram queimados. Caminha-se sobre cinzas calcinadas dos assoalhos e o céu aparece de quando em quando através dos telhados demolidos.

Após duas horas Lupin, seguido por sua escolta, percorrera tudo.

— Estou muito satisfeito com o senhor, meu caro conde. Não me lembro de ter encontrado alguma vez um cicerone tão bem documentado e, o que é raro, pouco falador. Agora, se estiver de acordo, vamos almoçar.

No fundo, Lupin sabia tanto como quando começara, e seu embaraço crescia cada vez mais. Para sair da prisão e para impressionar a imaginação do seu visitante, mentira fingindo saber tudo, e ainda se encontrava no mesmo ponto, procurando descobrir por onde começar a busca.

— Isso vai mal — murmurava para si mesmo —, vai muito mal.

Por outro lado, não sentia sua lucidez habitual. Uma ideia o obcecava, a do assassino, do desconhecido, do monstro que sabia andar em seu rastro.

Como esse misterioso personagem estava em seus passos? Como soubera de sua saída da prisão, sua corrida de carro para o Luxemburgo e a Alemanha? Seria uma intuição miraculosa? Ou o resultado de informações certas? Se assim fosse, à custa de que promessas ou ameaças poderia consegui-las? Todas estas questões atormentavam o espírito de Lupin.

Pelas quatro horas, entretanto, após um novo passeio nas ruínas, durante o qual examinou inutilmente as pedras, mediu a espessura das muralhas, esquadrinhou a forma e a aparência das coisas, perguntou ao conde:

— Não existe ainda nenhum servidor do grão-duque que morava no castelo?

— Todos se dispersaram. Apenas um continuou a viver na região.

— E este?

— Morreu há dois anos.

— Sem filhos?

— Teve um filho que se casou e foi expulso com a mulher por conduta escandalosa. Deixaram o mais novo de seus filhos, uma menina chamada Isilda.

— Onde mora ela?

— Mora aqui, na comunidade. O velho avô servia de guia aos visitantes, na época em que ainda se podia visitar o castelo. A pequena Isilda ficou depois vivendo nas ruínas, onde, por piedade, a aceitam: é uma pobre inocente que fala com dificuldade e não sabe o que diz.

— Sempre foi assim?

— Parece que não. Foi a partir da idade de dez anos que foi perdendo pouco a pouco a razão.

— Depois de uma desgraça, de um susto?

— Não, sem motivo algum, segundo me informaram. O pai era alcoólatra e a mãe se suicidou, num acesso de loucura.

Lupin refletiu e concluiu:

— Gostaria de vê-la.

O conde sorriu de forma bastante estranha.

— Poderá vê-la, é claro.

Ela se encontrava justamente numa das peças que acabavam de deixar.

Lupin ficou surpreendido por encontrar uma criatura miúda, muito magra, muito pálida, mas quase bonita com seus cabelos louros e sua figura delicada. Os olhos de um verde-mar tinham uma expressão distante e sonhadora, olhos de cego.

Fez-lhe algumas perguntas, às quais Isilda não deu resposta, e outras que foram respondidas por frases incoerentes, como se não compreendesse o sentido das palavras que lhe eram dirigidas nem das que pronunciava.

Insistiu, tomando-lhe a mão docemente e perguntando com uma voz afetuosa sobre a época quando ainda tinha a razão, sobre seu avô, sobre lembranças que poderiam evocar nela sua vida de criança, em liberdade entre as ruínas do castelo.

Ela se mantinha calada, os olhos fixos, impassível, talvez emocionada, mas sem que essa emoção fosse o bastante para despertar sua inteligência adormecida.

Lupin pediu um papel e lápis. Com o lápis escreveu na folha branca:

"813".

O conde ainda sorria.

— Ah! Ora essa! Que é que o faz rir? — exclamou Lupin aborrecido.

— Nada... nada... isto me interessa... isto me interessa muito...

A jovem olhava a folha de papel que lhe estendiam e virou a cabeça com um ar distraído.

— Isto não pegou — comentou o conde com ar zombeteiro.

Lupin escreveu as letras — "Apoon".

Mesmo desinteresse de Isilda.

Não renunciou à prova e por diversas vezes repetiu as letras, deixando entre elas espaços que variavam. E de cada vez olhava o rosto da jovem.

Ela não se mexia, os olhos presos no papel, com uma indiferença que nada parecia perturbar.

Mas de repente tomou o lápis, arrancou a última folha de papel de Lupin e, como se estivesse dominada por súbita inspiração, escreveu dois *L* no meio de um intervalo deixado por Lupin.

Ele estremeceu.

Uma palavra se formara: Apollon..

Ela, entretanto, não abandonara o lápis nem o papel, e com os dedos crispados, os traços tensos, esforçou-se para submeter sua mão à ordem do seu pobre cérebro.

Lupin esperava com ansiedade.

Ela rabiscou rapidamente, como alucinada, uma palavra, a palavra "Diana".

— Uma outra palavra!... outra palavra! — exclamou ele com violência.

Ela torceu os dedos em volta do lápis, transtornou-se, desenhou a ponta de um grande *J* e largou o lápis sem forças.

— Uma outra palavra! eu quero! — ordenou Lupin pegando-lhe o braço.

Mas viu em seus olhos, novamente indiferentes, que o fugitivo raio de sensibilidade não brilhava mais.

— Vamos embora — disse ele.

Já se afastava quando ela correu à sua frente e cortou-lhe o caminho.

— Que quer?

Ela estendeu a mão aberta.

— O quê? Dinheiro? Ela tem o hábito de mendigar? — perguntou ao conde.

— Não — respondeu este —, e não sei como explicar isto...

Isilda tirou do bolso duas moedas de ouro que fez tinir uma contra a outra, alegremente.

Lupin examinou-as.

Eram duas moedas francesas, novas, da passagem do século.

— Onde você conseguiu isto? — perguntou Lupin agitadamente. — Moedas francesas! Quem as deu?... E quando?... Foi hoje? Fala!... Responde!

Deu de ombros.

— Como sou imbecil! Como se ela pudesse me responder!... Meu caro conde, empreste-me quarenta marcos... Obrigado... Tome, Isilda, é para você...

Ela tomou as duas moedas, brincou com elas na mão, e depois, estendendo o braço, mostrou as ruínas do palácio Renascença com um gesto que parecia designar especialmente a ala esquerda, o alto dessa ala.

Seria um movimento mecânico? Ou deveria ser tomado como um agradecimento pelas duas moedas de ouro? Observou o conde, que não deixara de sorrir.

— O que há de tão engraçado para este animal? — monologou Lupin. — Parece que está se divertindo comigo.

Casualmente, dirigiu-se para o palácio, seguido pela escolta.

O térreo compunha-se de imensas salas de recepção, que se ligavam entre si e onde se encontravam alguns móveis que haviam escapado do incêndio.

No primeiro andar, do lado norte, existia uma grande galeria na qual se abriam doze belas salas exatamente iguais.

A mesma galeria se repetia no segundo andar, mas com vinte e quatro quartos, também semelhantes entre si. Tudo isto vazio, em ruínas, lamentável.

No alto nada. As mansardas haviam sido destruídas pelo fogo.

Durante uma hora, Lupin andou, arrastou-se, fuxicou, infatigável, o olhar penetrante.

Ao cair da tarde, correu para uma das doze salas do primeiro andar, como se a escolhesse por motivos particulares que só ele sabia.

Ficou bastante surpreso por encontrar ali o imperador, fumando, sentado numa poltrona que mandara trazer.

Sem se preocupar com sua presença, Lupin começou a inspeção da sala, segundo o costume que usava em tais casos, dividindo a peça em setores, que examinava um de cada vez.

Ao fim de vinte minutos, disse:

— Eu lhe peço que tenha a bondade de mudar-se de lugar. Existe aí uma lareira...

O imperador levantou a cabeça:

— É necessário incomodar-me?

— É, esta lareira...

— Esta lareira é como todas as outras e esta sala não difere das demais.

Lupin olhou o imperador sem compreender. Este levantou-se rindo:

— Creio, Sr. Lupin, que se divertiu um tanto à minha custa.

— Como assim?

— Oh! meu Deus, não é grande coisa! Obteve a liberdade sob a condição de me devolver papéis que me interessam e no entanto não tem a menor noção do lugar onde eles se encontram. Fui belamente... como dizem vocês em francês... Tapeado?

— Acredita nisso?

— Bolas! O que sabemos não se procura, e há dez boas horas o senhor está procurando. Não lhe parece que um retorno imediato à prisão se impõe? Lupin pareceu estupefato:

— Vossa Majestade não fixou o meio-dia de amanhã como o último limite?

— Por que esperar?

— Por quê? Mas para que eu possa terminar a minha obra.

— Sua obra? Mas ela nem foi começada, Sr. Lupin.

— Aí Vossa Majestade se engana.

— Prove-o... e esperarei até amanhã ao meio-dia.

Lupin refletiu e disse gravemente:

— Já que Sua Majestade tem necessidade de provas para ter confiança em mim, ei-las. As doze salas que dão para esta galeria têm cada uma um nome diferente, cuja inicial é marcada na porta de cada uma. Uma destas inscrições, menos apagada pelas chamas do que as outras, chamou-me a atenção quando atravessei a galeria. Examinei as outras portas: descobri, pouco distintamente, outras iniciais, todas gravadas na galeria, acima dos frontões.

Uma destas iniciais era um *D*, a primeira letra de Diana. Uma outra era um *A*, primeira letra de Apollon. Os dois nomes são de divindades mitológicas. As outras iniciais seguiram o mesmo sistema. Descobri um *J*, inicial de Júpiter; um *V*, inicial de Vênus; um *M*, inicial de Mercúrio; um *S*, inicial de Saturno, etc. Essa parte do problema estava resolvida: cada uma das doze salas traz o nome de uma das divindades do Olimpo e a combinação "Apoon", completada por Isilda, designa a sala de Apollon. É portanto aqui onde nos encontramos que as cartas estão escondidas. Bastam alguns minutos, talvez, para descobri-las.

— Alguns minutos, ou alguns anos... ainda! — disse o imperador rindo.

Parecia divertir-se bastante e o conde também mostrava grande alegria.

Lupin pediu:

— Vossa Majestade pode me explicar?

— Sr. Lupin, o apaixonante inquérito que o senhor fez hoje e do qual nos apresentou resultados brilhantes, eu já fiz. Sim, há duas semanas, em companhia do seu amigo Herlock Sholmes. Juntos interrogamos a pequena Isilda; juntos empregamos o mesmo método do senhor, e foi juntos que chegamos ao levantamento das iniciais da galeria e viemos dar aqui, na sala de Apollon.

Lupin estava lívido. Balbuciou:

— Ah! Sholmes... chegou... até aqui?...

— Sim, depois de quatro dias de busca, É bem verdade que não adiantou nada, pois nada descobrimos. Mas de qualquer forma, sei que as cartas não estão aqui.

Tremendo de raiva, atingido profundamente em seu orgulho, Lupin empertigava-se sob a ironia, como se recebesse chicotadas. Nunca se sentira humilhado a tal ponto. Em sua raiva, teria até estrangulado o gordo Waldemar, cujo riso o exasperava.

Contendo-se, disse:

— Foram necessários quatro dias para Sholmes. Para mim bastaram quatro horas. E teria sido ainda menos se não houvesse sido contido em minhas buscas.

— Por quem, meu Deus? Pelo meu fiel conde? Espero que ele não tenha ousado...

— Não, mas pelo mais terrível e o mais poderoso dos meus inimigos, o ser infernal que matou seu cúmplice Altenheim.

— Ele está aqui? Acredita? — exclamou o imperador com uma agitação que evidenciava que nenhum detalhe desta dramática aventura lhe era estranho.

— Ele está em toda parte em que eu esteja. Ele me ameaça com seu ódio constante. Foi ele quem adivinhou que eu era o Sr. Lenormand, chefe da Sûreté, foi ele que fez com que eu fosse preso, é ainda ele quem me persegue, depois que eu saí. Ontem, procurando atingir-me no automóvel, feriu o conde Waldemar.

— Mas quem garante, quem lhe disse que ele está em Veldenz?

— Isilda recebeu duas moedas de ouro francesas.

— E que veio ele fazer aqui? Com que fim?

— Não sei, senhor, mas é o próprio espírito do mal. Que Vossa Majestade desconfie sempre! Ele é capaz de todo o mal.

— Impossível! Tenho duzentos homens nestas ruínas. Ele não pode entrar. Teria sido visto.

— Alguém o viu, fatalmente.

— Quem?

— Isilda.

— Interroguem-na! Waldemar, conduza o prisioneiro à casa desta jovem.

Lupin mostrou as mãos amarradas.

— A batalha será dura. Poderei bater-me assim?

O imperador disse ao conde:

— Desamarre-o... E mantenha-me sempre ao corrente...

Desta forma, numa brusca modificação, misturando ousadamente ao debate, sem prova de qualquer espécie, o fantasma do assassino, Arsène ganhava tempo e retomava a direção da busca.

— Ainda tenho dezesseis horas — dizia a si mesmo. — É mais do que o que preciso.

Chegou ao lugar ocupado por Isilda, no final da comunidade, construções que serviam de caserna aos duzentos guardas das ruínas, e cuja ala esquerda, exatamente esta, era reservada aos oficiais.

Isilda não estava lá.

O conde mandou seus homens procurarem. Voltaram. Ninguém vira a jovem.

No entanto, ela não pudera sair da zona das ruínas. Quanto ao Palácio da Renascença, ele estava, por assim dizer, ocupado por metade das tropas, e ninguém poderia entrar.

Finalmente a mulher de um tenente que morava no alojamento vizinho declarou que não saíra da janela e não vira a moça partir.

— Se ela não saiu — exclamou Waldemar — estaria lá, e não está.

Lupin observou:

— Há um andar acima?

— Há, mas deste quarto ao andar de cima não existe escada.

— Sim, há uma escada.

Indicou uma pequena porta aberta para um reduto escuro. Na penumbra percebiam-se os primeiros degraus de uma íngreme escadaria.

— Eu lhe peço, meu caro conde — disse ele a Waldemar, que queria subir —, permita-me ter essa honra.

— Por quê?

— É perigoso.

Subiu e pouco adiante saltou para um desvão estreito e baixo. Deixou escapar um grito:

— Oh!

— O que há? — perguntou o conde alcançando-o.

— Aqui... no chão... Isilda...

Ajoelhou-se mas logo ao primeiro exame viu que a jovem estava apenas atordoada, sem ferimento visível, a não ser alguns arranhões nos pulsos e mãos.

Em sua boca, como uma mordaça, um lenço.

— É exatamente isto — disse ele. — O assassino estava aqui com ela. Quando chegamos agrediu-a com um soco e amordaçou-a para que não pudéssemos ouvir seus gemidos.

— Mas por onde fugiu?

— Por ali... veja... Há um corredor que se comunica com todas as mansardas do primeiro andar.

— E de lá?

— De lá desceu pelas escadarias de um dos alojamentos.

— Mas não o terão visto?

— Quem sabe? Esse ser é invisível. Não importa. Envie seus homens para se informar. Que deem uma busca em todos sótãos e todos cômodos do térreo! Hesitou. Deveria também ir atrás do assassino? Mas um ruído o trouxe de novo à jovem. Ela se tinha levantado e uma dúzia de moedas de ouro rolara de suas mãos. Examinou-as. Todas eram francesas.

— Vamos — disse ele — não me enganei. Mas por que tanto ouro? Em recompensa de quê? De repente percebeu no chão um livro e abaixou-se para apanhá-lo. Mas com um movimento mais rápido a jovem precipitou-se, pegou o livro e apertou-o de encontro a si com uma energia selvagem, como se estivesse disposta a defendê-lo contra tudo e todos.

— É isto mesmo — disse ele —, as moeda foram oferecidas em troca do volume, mas ela não quis se desfazer dele. Daí os arranhões nas mãos. Seria interessante saber por que o assassino queria possuir este livro. Teria tido ocasião de folheá-lo? Disse a Waldemar:

— Meu caro conde, dê a ordem, se me faz o favor... Waldemar fez um sinal. Três de seus homens se atiraram contra a jovem e depois de uma luta furiosa em que a infeliz sapateava de cólera e se torcia sobre si mesma gritando, arrancaram-lhe o volume.

— Calma, criança, — disse Lupin — calma... É para o seu bem, tudo isso... É melhor vigiá-la! Enquanto isso examinarei o motivo da luta.

Era uma velha encadernação que datava pelo menos de um século, um volume avulso de Montesquieu, trazendo o título: Viagem ao Templo de Genide. Porém, mal abriu o livro, exclamou:

— Ora vejam, é estranho.

Sobre o rosto de cada uma das páginas fora colada uma folha de pergaminho e nesta folha sobre as outras folhas existiam linhas de uma escrita bem cerrada e fina.

Leu no início:

"Diário do Cavaleiro Gilles de Malrèche, servo francês de Sua Alteza Real, o príncipe de Deux-Ponts-Veldenz, começado no ano da graça de 1794."

— Como, existe isto? — disse o conde.

— O que o espanta?

— O avô de Isilda, o velho que morreu há dois anos, chamava-se Malreich, ou seja, o mesmo nome germanizado.

— Maravilhoso! O avô de Isilda devia ser o filho ou o neto deste servo francês que escreveu o "diário" num volume avulso de Montesquieu. E foi assim que o diário passou às mãos de Isilda.

Folheou-o ao acaso:

"15 setembro 1796 — Sua Alteza caçou.
20 setembro 1796 — Sua Alteza saiu a cavalo. Montou em Cupido."

— Caramba! — murmurou Lupin — até agora não é exatamente palpitante.

Foi mais adiante:

"12 março 1803 — Mandei dez escudos a Hermann. Ele é cozinheiro em Londres."

Lupin pôs-se a rir:

— Oh! oh! Hermann foi destronado. O respeito começa a desaparecer.

— O grão-duque reinante — comentou Waldemar — foi com efeito afastado de suas terras pelas tropas francesas.

Lupin continuou:

"1809 — Hoje, terça-feira, Napoleão dormiu em Veldenz. Fui eu quem fez a cama de Sua Majestade e no dia seguinte atirei fora sua água de toalete usada."

— Ah! — comentou Lupin —, Napoleão parou em Veldenz?

— Sim, parou, a fim de encontrar-se com seu exército, quando da campanha da Áustria, que devia terminar em Wagram. Era uma honra da qual a família ducal, daí em diante, mostrava-se muito orgulhosa.

Lupin voltou à leitura:

"28 outubro 1814 — Sua Alteza Real voltou a seus domínios.

29 outubro — Esta noite levei Sua Alteza até o esconderijo e fiquei feliz em mostrar-lhe que ninguém descobrira sua existência. Aliás, como desconfiar de um esconderijo praticado em...”

Uma parada súbita... Um grito de Lupin... Isilda tinha se libertado dos homens que a vigiavam, atirara-se sobre ele e fugira carregando o livro.

— Ah! A danada! Corram logo... Façam a volta por baixo. Eu procurarei no corredor.

Mas ela tinha fechado a porta e trancado. Teve que descer, andar ao longo das construções da comunidade em busca de uma escada que o levasse ao primeiro andar.

Somente quando o quarto alojamento foi aberto ele pôde subir. Mas o corredor estava vazio e foi necessário bater em todas as portas, forçar fechaduras e introduzir-se em quartos desocupados, enquanto Waldemar, tão ardente quanto ele na perseguição, com a ponta do seu sabre experimentava as cortinas e tapeçarias, vendo se alguém se escondia atrás delas.

Vindos do andar térreo, em sua ala direita, ouviram chamados. Partiram ao encontro dos mesmos. Era uma das mulheres dos oficiais que fazia sinal, ao fim do corredor, contando que a jovem estava em sua casa.

— Como sabe? — perguntou Lupin.

— Eu a vi entrar no meu quarto. A porta estava fechada e ouvi barulho.

Lupin, realmente, não conseguiu abrir.

— A janela — exclamou —, deve haver uma janela. Foi levado pelo lado externo e rapidamente, tomando o sabre do conde, quebrou um dos vidros.

Depois, ajudado por dois homens, pendurou-se no muro, passou os braços, torceu o fecho da janela e entrou no quarto.

Agachada diante da lareira, Isilda aparecia por entre as chamas.

Empurrou-a brutalmente, tentou pegar o livro e queimou as mãos. Então, com a ajuda de um tenaz, puxou para fora do fogo e o recobriu com o pano de uma mesa, para abafar as chamas.

Mas era tarde. As páginas do velho manuscrito, consumidas, desfizeram-se em cinzas.

* * *

Lupin olhou-a demoradamente. O conde disse:

— Parece que ela sabe o que fez.

— Não, não, ela não sabe. Apenas seu avô deve ter-lhe confiado o livro como um tesouro, um tesouro que não devia ser mostrado a ninguém e, em seu estúpido instinto, preferiu atirá-lo ao fogo a desfazer-se dele.

— E então?

— Então o quê?

— Não chegará ao esconderijo?

— Ah! Ah! meu caro conde, então estava contando com um sucesso meu? Lupin não lhe parecia mais um charlatão? Fique tranquilo, Waldemar. Lupin tem diversas cordas no seu arco. Chegarei lá.

— Antes da décima-segunda hora de amanhã?

— Antes da décima segunda hora desta noite. Mas estou morrendo de inanição. E se pudesse abusar de sua bondade...

Conduziram-no à sala da comunidade, anexa ao refeitório dos suboficiais, e uma substancial refeição lhe foi servida, enquanto o conde fazia seu relatório ao imperador.

Vinte minutos mais tarde, Waldemar voltava. E instalaram-se frente a frente, silenciosos e pensativos.

— Waldemar, um bom charuto seria muito bem recebido...

— Obrigado. Este estala como convém aos legítimos havanas.

Acendeu o charuto e depois de um ou dois minutos:

— Pode fumar, conde, que não me incomoda.

Passou-se uma hora; Waldemar cochilava e, de vez em quando, procurando manter-se acordado, bebia uma taça de champanha. Soldados andavam de um lado para outro, dando serviço.

— Café — pediu Lupin.

Trouxeram-lhe café.

— Como é ruim — reclamou ele. — Se é este que serviram a César!... Assim mesmo, mais uma xícara, Waldemar. A noite talvez seja longa. Mas que café horrível! Acendeu outro charuto e não disse uma palavra. Os minutos passaram Não se mexia e não falava. De repente Waldemar ficou de pé e disse a Lupin num tom indignado:

— Eh! Levante-se!

Lupin assobiava. Continuou calmamente a assobiar.

— De pé, já disse!

Lupin voltou-se. Sua Majestade acabava de entrar. Levantou-se.

— Em que ponto estamos? — perguntou o imperador.

— Creio, senhor, que dentro em pouco estarei em condições de dar a Vossa Majestade uma satisfação.

— Como?... Conhece...

— O esconderijo? Praticamente sim... Alguns detalhes ainda me escapam... mas no local tudo se esclarecerá, não tenho a menor dúvida.

— Devemos ficar aqui?

— Não, eu lhe pediria que me acompanhasse ao palácio Renascença. Mas temos tempo e se Vossa Majestade me autoriza, gostaria de refletir melhor sobre dois ou três pontos.

Sem esperar resposta, sentou-se, apesar da grande indignação de Waldemar.

Um momento depois, o imperador, que se afastara e conversava com o conde, aproximou-se:.

— Sr. Lupin, desta vez está pronto?

Lupin manteve-se silencioso. Uma nova pergunta... ele baixou a cabeça.

— Mas ele está dormindo; na verdade, parece estar dormindo.

Furioso, Waldemar sacudiu-o pelos ombros. Lupin caiu de sua cadeira no chão, teve duas ou três convulsões e não se mexeu mais.

— Não está morto, espero!

— Que é que ele tem agora? — perguntou o imperador. Pegou uma lanterna e debruçou-se.

— Como está pálido! Uma figura de cera!... Olhe bem, Waldemar... Veja o coração dele... Está vivo, não?

— Sim! — disse o conde depois de um instante —, o coração bate normalmente.

— Então o que houve? Não compreendo mais nada... O que aconteceu?

— Vou chamar um médico?

— Vá, corra...

O doutor encontrou Lupin no mesmo estado, inerte e quieto. Mandou que o estendessem numa cama, examinou-o demoradamente e informou-se sobre o que o doente comera.

— Acredita num envenenamento, doutor?

— Não, não há traços de envenenamento. Mas suponho... O que é este prato e esta xícara?

— Café — disse o conde.

— Para todos?

O doutor derramou um pouco de café na xícara, provou-o e concluiu:

— Eu não me enganava: o doente foi adormecido com a ajuda de um narcótico.

— Mas por quem? — gritou o imperador irritado. — Vejamos, Waldemar, é inconcebível o que se passa aqui!

— Senhor...

— Eh! sim... estou cheio!... Começo a acreditar verdadeiramente que este homem tem razão e que há alguém no castelo... Essas moedas de ouro, este narcótico...

— Se alguém houvesse entrado nas fortificações saberíamos, Senhor... Há três horas que procuramos em todos os cantos...

— No entanto, não fui eu quem preparou o café, posso garantir... E a menos que tenha sido você...

— Oh! Senhor!

— Pois bem, procure... busque... Você tem duzentos homens à sua disposição e a comunidade não é tão grande! Por que, afinal, o bandido roda por aí, em torno destas construções... do lado da cozinha... que sei eu? Vá! Mexa-se!

Durante toda a noite o gordo Waldemar mexeu-se conscienciosamente, pois era a ordem do mestre, mas sem convicção, pois achava impossível que um estranho se escondesse nas ruínas bem vigiadas. De fato, os acontecimentos lhe deram razão: as investigações foram inúteis e não foi possível descobrir a mão misteriosa que preparara a bebida soporífera.

Essa noite Lupin passou-a na cama, inanimado. Pela manhã o doutor, que não o abandonara, respondeu ao enviado do imperador que o doente ainda dormia.

Às nove horas no entanto fez o primeiro gesto, como um esforço para despertar.

Um pouco mais tarde, balbuciou:

— Que horas são?

— Nove e trinta e cinco.

Fez um novo esforço e sentia-se, em seu torpor, a luta de seu ser para voltar à vida.

Um relógio bateu dez pancadas. Ele estremeceu e pronunciou:

— Levem-me... levem-me ao palácio.

Com a aprovação do médico, Waldemar chamou seus homens e mandou prevenir o imperador.

Puseram Lupin numa maca e dirigiram-se para o palácio. Subiram com ele.

— No fim do corredor — disse —, último quarto à esquerda.

Levaram-no até o último quarto, que era o décimo segundo, e deram-lhe uma cadeira na qual ele se sentou, exausto.

O imperador chegou; Lupin não se mexeu, com o ar inconsciente, os olhos sem expressão.

Depois, depois de alguns minutos, pareceu despertar, olhou em torno, as paredes, o teto, as pessoas, e disse:

— Um narcótico, não?

— Foi — declarou o médico.

— Encontraram... o homem?

— Não.

Pareceu meditar e por várias vezes balançou a cabeça com um ar pensativo, mas logo perceberam que voltara a dormir. O imperador aproximou-se de Waldemar.

— Dê ordens para que tragam o seu automóvel.

— Ah! Mas então...

— Então o quê? Começo a crer que ele está se divertindo conosco e que tudo isso não passa de uma simples comédia para ganhar tempo.

— Talvez... com efeito... — aprovou Waldemar.

— Evidentemente! Ele explora certas coincidências curiosas, mas não sabe nada e sua história de moedas de ouro, seu narcótico não passam de invenções! Se nos prestarmos a "este jogo", acabará por escapar-nos por entre as mãos. Seu auto, Waldemar.

O conde deu as ordens e voltou. Lupin não acordara. O imperador examinava a sala e disse a Waldemar:

— É a sala de Minerva, não?

— É, senhor.

— Mas então por que esse *N* em dois lugares? Com efeito existiam dois *N*, um acima da lareira e outro acima do relógio embutido na parede demolida, podendo-se ver o complicado mecanismo, os pesos inertes da extremidade de suas correntes.

— Estes dois *N* — disse Waldemar.

O imperador não ouviu a resposta. Lupin voltara a agitar-se, abrindo os olhos e articulando algumas sílabas indistintas. Levantou-se, andou pela sala, e voltou a sentar-se extenuado.

Foi então a luta feroz de seu cérebro, de seus nervos, de sua vontade contra esse horrível torpor que o paralisava, luta de moribundo contra a morte, da vida contra o nada.

Era um espetáculo profundamente doloroso.

— Ele sofre — murmurou Waldemar.

— Ou então finge que está sofrendo — declarou o imperador, — e finge maravilhosamente. Que artista!

Lupin balbuciou:

— Uma injeção, doutor, uma injeção de cafeína... rápido...

— Tenho vossa permissão, senhor? — perguntou o médico.

— Claro... Até meio-dia tudo que ele quiser deve ser feito. Tem minha promessa.

— Quantos minutos faltam para o meio-dia? — perguntou Lupin.

— Quarenta — disseram-lhe.

— Quarenta?... Chegarei lá... Com certeza chegarei lá... É preciso...

Segurou a cabeça com as duas mãos:

— Ah! se eu tivesse o meu cérebro, o verdadeiro, o bom cérebro que raciocina! Bastaria apenas um segundo! Há somente um ponto obscuro... Mas não posso... meu pensamento me escapa... não posso retomá-lo... é horrível...

Seus ombros mexeram-se. Estaria chorando? Logo ouviam-no repetir:

— 813... 813... E mais baixo:

— 813... um 8... um 1... um 3, sim, evidentemente... mas por quê? Isto não basta.

O imperador murmurou:

— Ele me impressiona. Custo a acreditar que um homem possa representar tão bem. — A metade... os três quartos...

Lupin continuava imóvel, os punhos apertando a cabeça. O imperador esperava, os olhos fixos num cronômetro seguro por Waldemar.

Ainda dez minutos... ainda cinco...

— Waldemar, o auto está aí? Seus homens estão prontos?

— Estão, senhor.

— Seu cronômetro bate as horas?

— Bate, Senhor.

— Então na última batida do meio-dia...

— No entanto...

— Na última pancada do meio-dia, Waldemar.

A cena tinha verdadeiramente algo de trágico, essa espécie de grandeza e solenidade que tomam as horas à aproximação de um possível milagre. Parecia que era a voz do próprio destino que se faria ouvir.

O imperador não escondia sua aflição. Este estranho aventureiro que se chamava Arsène Lupin, do qual conhecia a vida prodigiosa, este homem o perturbava... e se bem estivesse disposto a acabar com toda essa equívoca história, não podia se impedir de esperar... e ainda esperar.

Ainda dois minutos... ainda um minuto. Depois passaram a contar os segundos. Lupin parecia adormecido.

— Vamos, prepare-se — disse o imperador ao conde. Este avançou para Lupin e colocou a mão em seu ombro. A campainha do cronômetro vibrou... uma... duas... três, quatro, cinco...

— Waldemar, puxe o peso do velho relógio.

Um momento de espanto. Fora Lupin quem falara, calmamente.

Waldemar deu de ombros, indignado com aquele tratamento íntimo.

— Obedeça, Waldemar — disse o imperador.

— Sim, obedeça, meu caro conde — insistiu Lupin que voltava a tomar o tom irônico —, é uma de suas obrigações. Tem apenas que puxar as correntes do relógio alternadamente... um... dois... Maravilhoso... Veja bem como isso funcionava antigamente.

Realmente passou a funcionar e ouviu-se o tique-taque regular.

— Os ponteiros, agora — disse Lupin. — Coloque-os um pouco antes do meio-dia... Não mexa mais... deixe-me fazer...

Levantou-se e avançou para o mostrador, a um passo de distância, não mais, os olhos fixos, todo seu ser atento.

As doze pancadas soaram, doze pancadas surdas, profundas.

Um longo silêncio. Nada aconteceu. Entretanto, o imperador esperava, como se estivesse certo de que alguma coisa iria acontecer. E Waldemar não se mexia, os olhos esbugalhados.

Lupin, que se debruçara sobre o mostrador, levantou-se e murmurou:

— Está perfeito... achei...

— Waldemar, ponha novamente os ponteiros em dois minutos para o meio-dia. Ah! não, meu velho, não voltando atrás... no sentido da marcha comum... Eh! sim, será um pouco demorado... mas que quer? Todas as horas e as meias bateram até as onze e meia.

— Escute, Waldemar — disse Lupin.

E falou gravemente, sem zombaria, como se ele mesmo estivesse emocionado e ansioso.

— Escute, Waldemar, vê sobre o mostrador uma pequena ponta arredondada que marca a primeira hora? Essa ponta oscila, não é? Ponha em cima o indicador da mão esquerda e apoie. Bem. Faça o mesmo com o polegar na terceira hora. Bem... Com sua mão direita, aperte a ponta do oito. Pois bem.

— Obrigado. Sente-se, meu caro.

Um instante depois o ponteiro grande chegou à ponta das doze... E meio-dia soou novamente.

Lupin se calara, muito pálido. No silêncio, cada uma das doze pancadas soou.

À décima segunda pancada ouviu-se um ruído, como da abertura de um trinco. O relógio parou. O balancim imobilizou-se.

Subitamente o ressalto de bronze que dominava o mostrador e que representava uma cabeça de carneiro abaixou-se, mostrando uma espécie de nicho furado na própria pedra.

Nesse nicho havia uma pequena caixa de prata, ornada de cinzeladuras.

— Ah! — fez o imperador —, você tinha razão.

— Tinha alguma dúvida? — perguntou Lupin. Pegou a caixinha e apresentou-a.

— Que Sua Majestade mesmo abra. As cartas que tive por missão procurar aí se encontram.

O imperador levantou a tampa e pareceu espantado... A caixa estava vazia.

* * *

A caixa estava vazia! Foi um golpe teatral, imenso, imprevisto. Depois do sucesso dos cálculos efetuados por Lupin, depois da descoberta tão engenhosa do segredo do relógio, o imperador, para quem a vitória final não deixava dúvidas, parecia confuso.

A sua frente, Lupin, pálido, os maxilares apertados, os olhos injetados de sangue, rosnava de raiva e ódio impotente. Enxugou a testa coberta de suor, depois pegou vivamente a caixa, voltou-a, examinando-a como se esperasse encontrar um fundo falso. Por fim, para tirar qualquer dúvida, quebrou-a num aperto irresistível.

Isso fez com que se sentisse mais aliviado. Respirou mais à vontade.

O imperador perguntou:

— Quem fez isso?

— Sempre o mesmo, senhor, o que persegue no mesmo caminho que eu e que quer chegar ao mesmo fim, o assassino do Sr. Kesselbach.

— Quando?

— Esta noite. Ah! Por que não me deixou livre ao sair da prisão! Livre teria chegado aqui sem perda de tempo. Chegaria antes dele! Antes dele teria dado dinheiro a Isilda!... Antes dele teria lido o diário de Malreich, o velho servo francês!...

— Acredita que foi devido a revelações desse diário?...

— Sim. Ele teve tempo de lê-lo. E na sombra, não sei onde, sabendo de todos os meus menores gestos não sei por quem, drogou-me, fez com que eu dormisse, a fim de se desembaraçar de mim por uma noite.

— Mas o palácio estava guardado.

— Guardado por seus soldados, senhor. E isso tem alguma importância para homens como esse? Não duvido, aliás, que Waldemar tenha concentrado suas buscas na comunidade desguarnecendo as portas do palácio.

— Mas e o ruído do relógio? As doze badaladas durante a noite?

— Um jogo... uma brincadeira de criança impedir um relógio de bater as horas!

— Tudo me parece inverossímil.

— Pois tudo isso me parece rudemente claro. Se fosse possível examinar imediatamente os bolsos de todos os seus homens, ou conhecer as despesas que eles farão durante o ano que vem, encontraríamos certamente dois ou três que estão, no momento, de posse de belas cédulas de dinheiro, dinheiro francês, bem entendido.

— Oh! — protestou Waldemar.

— Mas sim, meu caro conde, é uma questão de preço e ele não olha despesas, não duvido que mesmo você...

O imperador não ouvia, absorto em suas reflexões. Passeava de um lado para outro no quarto, fazendo depois um sinal a um dos oficiais que estavam na galeria.

— Meu auto... e que se aprontem... nós partimos.

Parou, observou Lupin um instante, e aproximando-se do conde ordenou:

— Você também, Waldemar, a caminho... Direto a Paris de uma só esticada...

Lupin apurou o ouvido. Waldemar respondeu:

— Gostaria de ter uma dúzia de guardas a mais com esse diabo de homem!...

— Pegue-os. Depressa, é preciso que você chegue ainda esta noite.

Lupin deu de ombros e murmurou:

— Absurdo! O imperador voltou-se para ele e Lupin retomou:

— Ah! Sim, pois Waldemar é incapaz de guardar-me. Minha fuga é certa, e então...

Bateu com o pé violentamente.

— E então acredita, senhor, que vou perder meu tempo mais uma vez? Se renuncia à lutam, eu não renuncio. Eu comecei e eu acabarei.

O imperador explicou:

— Não renuncio, pois minha polícia será posta em campo.

Lupin deu uma gargalhada:

— Que Vossa Majestade me desculpe! É tão engraçado! A polícia de Vossa Majestade! Mas ela vale o que valem todas as polícias do mundo, quer dizer, nada de nada! Não, não voltarei à Santé. Da prisão eu zombo. Mas preciso de minha liberdade contra este homem, e serei livre para lutar.

O imperador impacientou-se:

— Este homem você nem mesmo sabe quem é.

— Saberei, senhor. E somente eu posso sabê-lo. E ele está ciente disso, que sou o único a poder saber. Sou seu único inimigo. Apenas eu o ataco. Foi a mim que ele tentou atingir outro dia, com uma bala do seu revólver. É a mim que bastou-lhe fazer adormecer esta noite para ficar em liberdade e agir à vontade. O duelo é entre nós. O mundo nada tem a ver com isto. Ninguém pode ajudar-me e ninguém pode ajudá-lo. Somos dois e é tudo. Até aqui a sorte o favoreceu. Mas ao final, é inevitável, é fatal que eu o apanhe.

— Por quê?

— Porque sou o mais forte.

— E se ele o matar?

— Não me matará. Arrancarei suas garras e o reduzirei à impotência. E recuperarei as cartas. Não há poder humano que possa impedir-me de reavê-las.

Falava com uma convicção de tal forma violenta e um tom de tamanha certeza que dava às suas predições a aparência real de coisas já acontecidas.

O imperador não podia deixar de experimentar um sentimento confuso, inexplicável, onde havia uma espécie de admiração e também muita dessa confiança que Lupin exigia de forma tão autoritária. No fundo ele só hesitava pelos escrúpulos de empregar esse homem e fazer dele seu aliado. E cuidadoso, não sabendo o partido a tomar, andava da galeria às janelas sem pronunciar uma palavra.

Finalmente disse:

— E quem nos assegura que as cartas foram roubadas esta noite?

— O roubo está datado, Senhor.

— O que diz?

— Examine a parte interna do frontão que disfarçava o esconderijo. A data aí está inscrita a giz branco: meia-noite, 24, agosto.

— Com efeito... com efeito... — murmurou o imperador mais confuso. — Como não vi antes? E acrescentou, mostrando sua curiosidade:

— É o mesmo que estes dois N na muralha... são inexplicáveis para mim. Aqui é a sala de Minerva.

— É aqui a peça onde dormiu Napoleão, imperador dos franceses — declarou Lupin.

— Como sabe?

— Pergunte a Waldemar, senhor. Para mim, quando passei os olhos no diário do velho servo, foi uma revelação. Compreendi que Sholmes e eu estávamos no caminho errado. Apoon, a palavra incompleta que escreveu o grão-duque em seu leito de morte, não é uma contração da palavra Apollon e sim da palavra Napoleon.

— É justo... tem razão... — disse o imperador —, as mesmas letras se encontram nos dois nomes, e seguindo a mesma ordem. É evidente que o grão-duque quis escrever Napoleon. Mas quanto a este número 813?

— Ah! é o ponto que me deu trabalho maior para esclarecer. Tive sempre a ideia de que era preciso somar os três números 8, 1 e 3, e o número 12 assim obtido me parecia aplicar-se a esta sala, a décima segunda da galeria. Mas isso não bastava. Devia existir outra coisa, algo mais que meu cérebro enfraquecido não podia chegar a descobrir. A vista do relógio situado justamente na sala Napoleon, foi uma revelação. O número 12 significa, evidentemente, a décima segunda hora. Meio-dia! Meia-noite! Não são as horas mais solenes que escolhemos de preferência? Mas por que estes três números, 8, 1 e 3, em lugar de outros que chegassem ao mesmo total? Foi então que pensei em fazer soar o relógio pela primeira vez, a título de ensaio. E foi fazendo soar que vi que as pontas da primeira, da terceira e da oitava hora eram móveis. Obtive portanto três números, 1, 3, e 8, que colocados na ordem fatídica formavam a centena 813. Waldemar apertou as três pontas. O barulho de trincos que se abriam foi ouvido. Vossa Majestade conhece o resultado... Eis aí, Senhor, a explicação dessa palavra misteriosa e desses três números, 8, 1, 3 que o grão-duque escreveu em sua agonia, e graças aos quais ele tinha esperança que um dia seu filho encontrasse o segredo de Veldenz e tomasse posse das famosas cartas que escondera.

O imperador escutava com atenção apaixonada, cada vez mais surpreendido por tudo que observava nesse homem em matéria de engenhosidade, clarividência, fineza e vontade inteligente.

— Waldemar? — disse ele.

— Senhor?

Mas no momento em que ia falar ouviram-se exclamações na galeria.

Waldemar saiu e voltou logo.

— É a louca, senhor, que querem impedir que entre.

— Deixem-na vir — exclamou Lupin vivamente —, é preciso que ela venha.

A um gesto do imperador, Waldemar foi procurar Isilda.

À entrada da jovem, todos ficaram chocados. Seu rosto tão pálido estava coberto de manchas negras. Seus traços convulsionados denotavam o maior sofrimento. Ela arquejava, as duas mãos crispadas sobre o peito.

— Oh! — fez Lupin com horror.

— O que há? — perguntou o imperador.

— O médico, senhor! Que não percam um minuto! E se adiantando:

— Fale, Isilda... Viu alguma coisa? Tem qualquer coisa a dizer?

A jovem parara, os olhos menos vagos, como iluminados pela dor.

Articulou sons... mas nenhuma palavra.

— Escute — disse Lupin —, responda sim ou não... um movimento de cabeça... Você o viu? Sabe onde ele se encontra...? Sabe quem é ele?... Escute, se você não responder...

Conteve um gesto de raiva. Mas subitamente, lembrando-se da experiência da véspera e que ela parecia ter guardado alguma lembrança visual do tempo em que tinha seu juízo perfeito, escreveu na parede branca um L e um M maiúsculos.

Ela estendeu os braços para as letras e meneou a cabeça como se aprovasse.

— E depois? — disse Lupin. — Depois!... escreva você também...

Ela deu um grito horrível e atirou-se ao chão, soltando verdadeiros urros.

Depois, de repente, o silêncio, a imobilidade. Um sobressalto ainda. E não se mexeu mais.

— Morta? — perguntou o imperador.

— Envenenada, senhor.

— Ah! a infeliz... E por quem?

— Por ele, senhor. Sem dúvida ela o conhecia. Teve medo de suas revelações.

O médico chegava. O imperador mostrou-lhe Isilda. Depois, dirigindo-se a Waldemar.

— Todos os homens em ação. Vasculhem a casa... Um telegrama às estações da fronteira...

Aproximou-se de Lupin:

— Quanto tempo é necessário para que recobre as cartas?

— Um mês, senhor.

— Bem, Waldemar esperará aqui. Ele terá minhas ordens e plenos poderes para lhe dar o que você quiser...

— O que eu quero, senhor, é a liberdade.

— Está livre...

Lupin olhou-o afastar-se e disse entre dentes:

— A liberdade primeiro... Depois, quando eu lhe entregar as cartas, majestade, um pequeno aperto de mão, perfeitamente, um aperto de mão do imperador a um ladrão... para provar que estava errado quando bancou o enfastiado comigo. Porque, afinal, é um pouco duro! Eis um senhor por quem abandono meu apartamento no Santé-Palace, a quem eu presto pequenos serviços, e que tenta tomar certas atitudes... Se alguma vez apanhá-lo novamente!?

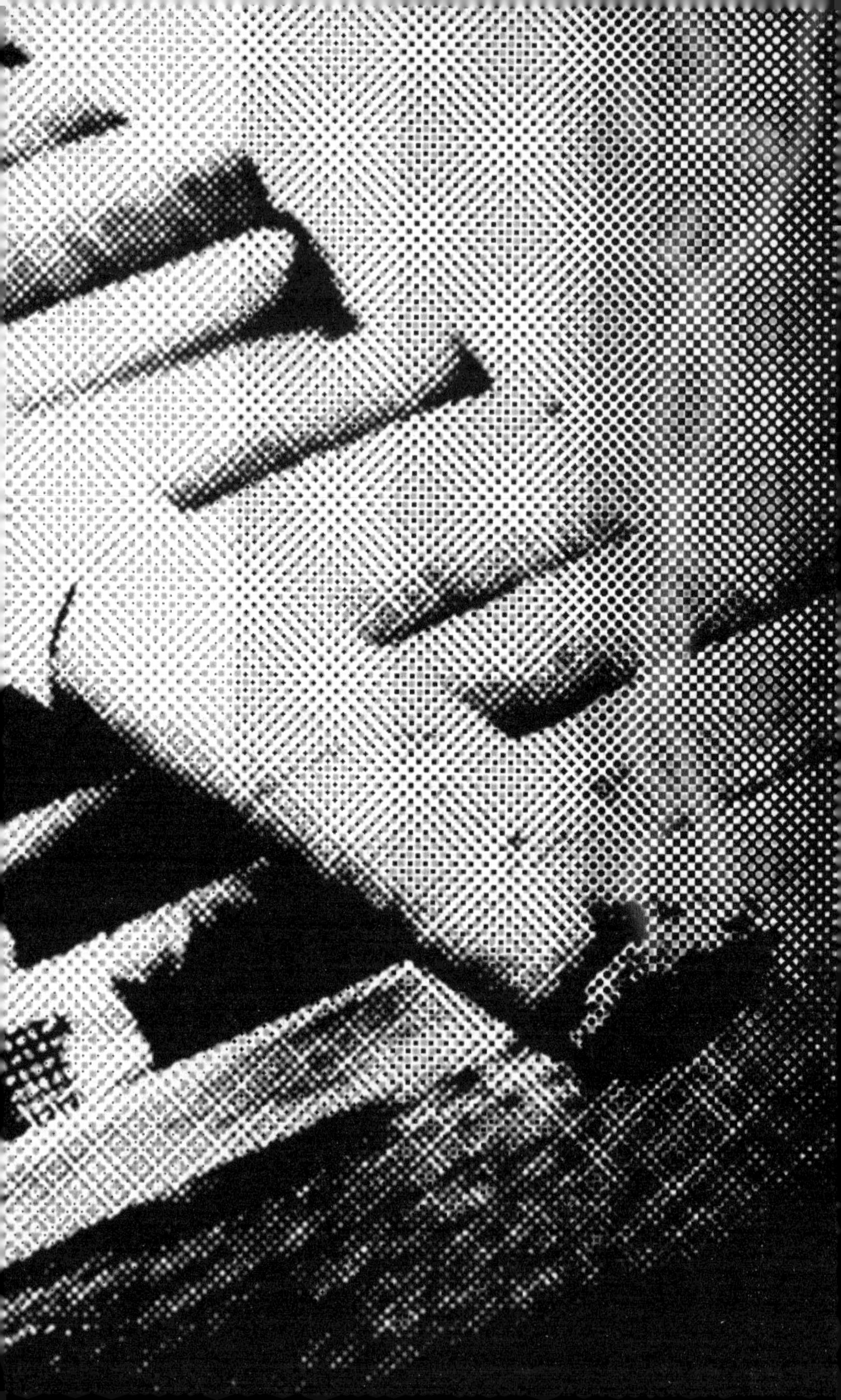

OS SETE BANDIDOS

— A senhora pode receber?

Dolores Kesselbach tomou o cartão que o empregado lhe estendia e leu:

André Beauny.

— Não — disse ela, — não o conheço.

— Esse senhor insiste muito, diz que a senhora aguarda a sua visita.

— Ah!... talvez... pode ser... Traga-o aqui.

Depois dos acontecimentos que perturbaram sua vida e que a atingiram com uma crueldade implacável, Dolores, depois de uma estadia no Hotel Bristol, instalara-se em uma casa pacata da rua de Vignes, no sopé de Passy.

Um belo jardim se estendia atrás, ladeado por outros jardins cerrados. Quando dolorosas crises não a mantinham dias inteiros em seu quarto, com as venezianas fechadas, invisível para todos, fazia-se transportar para debaixo das árvores e lá ficava, estendida, melancólica, incapaz de reagir contra o destino.

Acompanhado pelo empregado, apareceu um jovem de porte elegante, vestido com simplicidade, à maneira um pouco antiquada de certos pintores, colarinhos rebatidos, ampla gravata com bolinhas brancas num fundo azul-marinho.

O empregado se afastou.

— André Beauny, não? — perguntou Dolores.

— Sim, senhora.

— Creio não ter a honra...

— Sim, senhora. Sabendo que eu era um dos amigos da senhora Ernemont, a avó de Geneviève, a senhora escreveu-lhe em Garches, dizendo-lhe que desejava ter uma conversa comigo. Eis-me aqui.

Dolores levantou-se muito emocionada.

— Ah! o senhor é...

— Sou.

Ela balbuciou:

— De verdade? É o senhor? Não o reconheço.

— Não reconhece o príncipe Sernine?

— Não... Nada de parecido, nem a fronte, nem os olhos... E também não foi assim...

— Que os jornais apresentaram o preso da Santé — disse ele sorrindo. — No entanto, sou eu mesmo.

Um longo silêncio durante o qual ficaram embaraçados, pouco à vontade.

Finalmente ele disse:

— Posso saber o motivo?...

— Geneviève não lhe disse?

— Não a vi... Mas sua avó teve a impressão de que precisava dos meus serviços...

— É isso... é isso...

— E em quê?... Ficarei feliz em...

Ela hesitou um segundo e depois murmurou:

— Tenho medo.

— Medo! — exclamou ele.

— Sim, tenho medo, tenho medo de tudo, medo do que é hoje, do que será amanhã ou depois de amanhã... medo da vida. Sofri tanto... não aguento mais. — disse em voz baixa.

Olhava-a com grande piedade. O sentimento confuso que sempre o empurrara em direção a essa mulher tomava hoje um caráter mais sério, mais preciso, quando ela lhe pedia proteção. Era um ardente desejo de devotar-se a ela, inteiramente, sem esperança de qualquer recompensa.

Ela prosseguiu:

— Estou só, atualmente, só com os empregados que contratei ao acaso, e tenho medo... sinto que algo se agita em redor de mim.

— Mas com que objetivo?

— Não sei. Mas o inimigo ronda e se aproxima.

— Já o viu? Notou alguma coisa?

— Na rua, um desses dias, dois homens passaram diversas vezes e pararam em frente da casa.

— Como eram eles?

— Vi um deles melhor do que o outro. É grande, forte, bem barbeado, vestido com uma pequena jaqueta de fazenda preta, bem curta.

— Um garçom?

— Sim, um maître d'hôtel. Mandei que um dos meus empregados o seguisse. Ele tomou a rua de la Pompe e entrou numa casa de péssimo aspecto, cujo andar térreo é ocupado por um vendedor de vinho, a primeira à esquerda da rua. Finalmente na outra noite...

— Na outra noite?

— Percebi, da janela do meu quarto, uma sombra no jardim.

— É tudo?

— É.

Ele pensou e propôs:

— Permitirá que dois dos meus homens durmam embaixo, num dos quartos do térreo?

— Dois de seus homens?

— Oh! São gente boa, o pai Charolais e seu filho... que não se parecem com o que são... Com eles ficará tranquila. Quanto a mim...

Hesitou. Esperava que ela o convidasse a voltar. Como se calasse, prosseguiu:

— Quanto a mim é preferível que não me vejam por aqui... sim, é preferível... para você mesma. Meus homens me manterão sempre informado dos acontecimentos.

Teve vontade de dizer mais alguma coisa e ficar, e sentar-se a seu lado, e reconfortá-la. Mas tinha a impressão de que tudo já fora dito e que uma simples palavra a mais pronunciada por ele seria uma ofensa.

Assim, se despediu e saiu.

Atravessou o jardim andando rapidamente, com pressa de se reencontrar fora e poder dominar sua emoção. O empregado o esperava na soleira do vestíbulo. No momento em que passava pela porta de entrada, para a rua, alguém tocava a campainha, uma jovem... Estremeceu.

— Geneviève! Fixou nele seus olhos espantados e, se bem que desconcertada, ela logo o reconheceu, o que lhe causou uma tal perturbação que vacilou e teve que encostar-se na porta.

Tirara o chapéu e a contemplava sem ousar estender-lhe a mão.

Estenderia ela a sua? Não era mais o príncipe Sernine... era Arsène Lupin. E ela sabia quem era Arsène Lupin e que saíra da prisão.

Fora chovia. Entregou o guarda-chuva ao empregado, balbuciando:

— Abra e coloque de lado para secar... E passou por ele sem olhá-lo novamente.

— Meu pobre velho — murmurou Lupin a si mesmo, partindo, — eis aí emoções demais para um ser nervoso e sensível como você. Cuide do seu coração, senão... Vamos, ora, agora os seus olhos se umedecem! Mau sinal, senhor Lupin, você envelhece.

Chocou-se com o ombro de um jovem que atravessava a calçada de La Muette e se dirigia para a rua des Vignes. O jovem parou e depois de alguns segundos:

— Perdão, senhor, mas não tenho a honra, ao que me parece...

— Parece-lhe erradamente, meu caro Sr. Leduc. Ou então a sua memória está muito fraca. Lembre-se de Versalhes... o pequeno quarto do Hotel dos Dois Imperadores...

— O senhor!

O jovem dera um passo para trás, horrorizado.

— Meu Deus, sim, eu, o príncipe Sernine, ou melhor, Lupin, já que sabe meu verdadeiro nome! Pensava que Lupin morrera? Ah! sim, compreendo, a prisão... esperava... Vá lá, criança!

Bateu-lhe levemente no ombro.

— Vejamos, jovem, volte a si, teremos ainda alguns bons e calmos dias para fazer versos. A hora ainda não chegou. Faça versos, poeta!

Apertou-lhe fortemente o braço e disse-lhe frente a frente:

— Mas a hora se aproxima, poeta. Não esqueça que me pertence de corpo e alma. E prepare-se para representar seu papel. Ele será rude, mas magnífico. E, por Deus, você me parece o homem certo para tal papel!

Deu uma gargalhada, voltou-se, deixando o jovem atordoado.

Havia mais adiante, na esquina da rua de La Pompe, a loja de vinhos de que lhe falara a senhora Kesselbach. Entrou e conversou algum tempo com o patrão. Depois tomou um automóvel e dirigiu-se ao Grand-Hotel, onde morava sob o nome de André Beauny.

Os irmãos Doudeville o esperavam.

Se bem que cansado de elogios dessa espécie, Lupin não pôde se furtar aos testemunhos de admiração e devotamento com que seus amigos o receberam.

— Chefe, explique-nos... O que se passou? Estamos acostumados aos prodígios... mas, assim mesmo... há certos limites. Então está livre? E ei-lo em pleno coração de Paris, simplesmente disfarçado.

— Um charuto? — ofereceu Lupin.

— Obrigado... não.

— Está errado, Doudeville. Estes são especiais. Recebi-os de um conhecedor que se gaba de ser meu amigo.

— Podemos saber quem?

— O Kaiser... Vamos, não fiquem com essa cara de imbecis e me coloquem a par das novidades pois não tenho lido jornais. Como repercutiu minha fuga junto ao público?

— De forma fulminante, chefe!

— Qual a versão da polícia?

— A fuga deu-se em Garches, durante a reconstituição do assassinato de Altenheim. Por azar, os jornalistas provaram que isso era inteiramente impossível.

— E daí?

— Daí foi a confusão. Procuram, riem e se divertem bastante.

— Weber? Weber está muito comprometido.

— Além disso nada de novo no serviço da Sûreté? Nenhuma descoberta sobre o assassino? Nenhum indício que nos permita estabelecer a verdadeira identidade de Altenheim?

— Não.

— É um pouco duro! Quando pensamos que pagamos milhões de impostos por ano para sustentar essa gente! Se continuar assim me recusarei a pagar os meus. Pegue uma cadeira e uma caneta. Você levará esta carta esta noite ao *Grand Journal*. Há muito tempo que o mundo não tem notícias minhas. Devem estar impacientes. Escreva:

"Senhor Diretor,

Peço desculpas ao povo, cuja legítima impaciência será frustrada.

Fugi da prisão e me é totalmente impossível revelar como. Além disso, após a minha fuga, descobri o famoso segredo, mas me é impossível revelá-lo, nem como o descobri.

Tudo isso, qualquer dia, mais cedo ou mais tarde, será objeto de um relato de alguma forma original, que será publicado, de acordo com as minhas anotações, pelo meu biógrafo oficial. É uma página da História da França que nossos netos não deixarão de ler com interesse.

Por enquanto, tenho mais a fazer. Revoltado ao ver em que mãos caíram as funções que eu exercia, cansado de constatar que o caso Kesselbach — Altenheim continua no mesmo ponto, demito o Sr. Weber e reassumo o honroso posto que ocupava antes, para satisfação geral, sob o nome de Sr. Lenormand.

Arsène Lupin Chefe da Sûreté.

* * *

Às oito horas da noite Arsène Lupin e Doudeville entravam no Caillard, o restaurante da moda. Lupin, apertado em seu paletó, mas com a calça um pouco larga dos artistas e a gravata um pouco solta; Doudeville, de sobretudo, com a aparência e o ar grave de um magistrado.

Escolheram a parte do restaurante que era uma espécie de anexo, separado por duas colunas da grande sala.

Um maître d'hôtel indiferente e seco aguardou o pedido, um bloco na mão.

Lupin pediu com meticulosidade de um fino gourmet.

— Se bem que a comida diária da prisão fosse aceitável — disse ele — sempre dá prazer fazer uma refeição requintada.

Comeu com apetite e silenciosamente, contentando-se apenas em pronunciar, uma vez ou outra, uma curta frase que indicava o caminho de suas preocupações.

— Claro que isso vai melhorar... mas será duro... Que adversário!... O cúmplice principal morreu, nós quase chegamos ao fim da batalha. No entanto ainda não vejo claramente seu jogo... Que procura, o miserável?... Eu tenho um plano determinado: pôr a mão no grão-ducado e colocar no trono um grão-duque feito por mim, dar-lhe Geneviève por esposa... e reinar. Eis o que é claro, límpido, honesto e leal. Mas ele, esse ignóbil personagem, essa larva das trevas, onde quer chegar?

Chamou:

— Garçom!

O maître aproximou-se.

— O senhor deseja?

— Charutos.

O maître retornou com diversas caixas.

— Qual me aconselha? — perguntou Lupin.

— Uns Upman excelentes.

Lupin ofereceu um Upman a Doudeville, escolheu um para si, e cortou a ponta.

O maître riscou um fósforo e estendeu-o. Rapidamente Lupin segurou-lhe o pulso.

— Nem uma palavra... eu o conheço... você se chama Dominique Lecas...

O homem, que era grande e forte, tentou soltar-se. Abafou um grito de dor. Lupin torcera seu pulso.

— Você se chama Dominique... mora na rua de La Pompe, no quarto andar, para onde se retirou com uma pequena fortuna — escute, imbecil, ou eu lhe quebro o osso — conquistada a serviço do barão Altenheim, em cuja casa era mordomo.

O outro paralisou, pálido de medo.

Em volta deles, a pequena sala estava vazia. Ao lado, no restaurante, três senhoras fumavam e dois casais conversavam, bebericando licores.

— Você vê, estamos tranquilos... podemos conversar.

— Quem é o senhor? Quem é o senhor?

— Não me reconhece? Entretanto, deve se lembrar daquele famoso almoço na Vila Dupont. Foi você mesmo, velho malandro, que me ofereceu o prato de doces... e que doces!...

— O príncipe... o príncipe... — gaguejou o outro.

— Sim, o príncipe Arsène, o príncipe Lupin em pessoa... Ah! ah! Você respira... pensa que nada tem a temer com Lupin, não é? Pois é um erro, meu velho, você tem tudo a perder.

Tirou do bolso um cartão e mostrou-lhe:

— Tome, olhe, agora sou da polícia... Que se vai fazer, é sempre assim que acabamos... nós, os mestres do roubo, os imperadores do crime.

— E então? — retrucou o maître, sempre inquieto.

— Então, atenda o cliente que lhe chama lá adiante, faça seu serviço e volte. Sobretudo nada de gracinhas, não tente aproveitar para dar o fora. Tenho dez agentes aí fora com o olho em você. Vá.

O maître obedeceu. Cinco minutos depois estava de volta e, de pé diante da mesa, as costas voltadas ao restaurante, como se conversasse com os clientes sobre a qualidade dos charutos, dizia:

— Pois bem? Do que se trata? Lupin pôs na mesa algumas notas de cem francos.

— Quantas forem as respostas certas às minhas perguntas, tantas notas você ganhará.

— Assim é melhor.

— Começo. Quantos estavam com o barão Altenheim?

— Sete, sem contar comigo.

— Ninguém mais?

— Não. Apenas uma vez foram contratados operários na Itália para fazer o subterrâneo da Vila das Glicínias, em Garches.

— Eram dois os subterrâneos?

— Eram: um levava ao pavilhão Hortense e o outro começava no primeiro e desembocava debaixo do pavilhão da senhora Kesselbach.

— As duas empregadas, Suzanne e Gertrude, eram cúmplices?

— Eram.

— Onde estão?

— No estrangeiro.

— E os sete companheiros do bando de Altenheim?

— Deixei-os. Eles continuam.

— Onde posso encontrá-los?

Dominique hesitou. Lupin estendeu duas notas de mil francos e disse:

— Seus escrúpulos lhe fazem honra, Dominique. Basta apenas responder e apanhá-las.

Dominique respondeu:

— Serão encontrados na estrada da Revolte, n.º 3, em Neuilly. Um deles é conhecido pelo nome de Antiquário.

— Perfeito. E agora o nome, o verdadeiro nome de Altenheim? Você o sabe?

— Sei. Ribera.

— Dominique, assim não vamos bem. Ribera não passava de um nome de guerra. Eu pergunto o verdadeiro nome.

— Parbury.

— É outro nome de guerra.

O maître hesitava. Lupin mostrou três notas de cem francos.

— E depois, que mal pode fazer? — exclamou o homem. — Afinal de contas ele está morto, não está? E bem morto?

— Seu nome? — disse Lupin.

— Seu nome? O cavaleiro de Malreich.

Lupin estremeceu na cadeira.

— O quê? O que diz? O cavaleiro... repita... o cavaleiro?

— Raul de Malreich.

Um demorado silêncio. Lupin, o olhar parado, pensava na louca de Veldenz, morta envenenada. Isilda tinha o mesmo nome: Malreich. E era o mesmo nome do gentil-homem francês, chegado à corte de Veldenz no século XVIII.

— De que parte era esse Malreich?

Prosseguiu:

— De origem francesa, mas nascido na Alemanha... Um dia li alguns papéis... Foi assim que fiquei sabendo seu nome. Ah! se ele soubesse! Creio que teria me estrangulado.

Lupin refletiu e perguntou:

— Ele é quem comandava tudo e todos?

— Era.

— Mas tinha um cúmplice, um associado?

— Ah! cale-se... cale-se...

O rosto do maître de repente exprimia a maior ansiedade. Lupin conseguiu discernir a mesma espécie de horror e repulsa que ele mesmo sentia quando pensava no assassino.

— Quem é ele? Você o viu?

— Oh, não falemos deste... não devemos falar nele.

— Quem é ele, eu lhe pergunto?

— É o mestre... o chefe... ninguém o conhece.

— Mas você o viu. Responda, você o viu?

— Na penumbra algumas vezes... à noite. Nunca durante o dia. Suas ordens chegavam a nós em pequenos bilhetes... ou por telefone.

— Seu nome?

— Não sei. Nunca se falava a respeito dele. Isso trazia desgraça.

— Anda sempre vestido de preto, não é?

— Sim, sempre de negro. É pequeno e esguio... louro..

— E ele mata, não?

— Sim, ele mata... mata como outros comem um pedaço de pão.

Sua voz tremia. Suplicou:

— Calemo-nos... não devemos falar... eu lhe garanto... isso traz desgraça.

Lupin calou-se apesar de tudo, impressionado pela aflição do homem. Ficou muito tempo pensativo, depois levantou-se e disse ao maître:

— Tome, pegue seu dinheiro, mas se quer viver em paz, será bastante sabido para não dizer nada a ninguém sobre o nosso encontro.

Saiu do restaurante com Doudeville e caminhou até a Porta Saint-Denis, sem dizer nada, preocupado com tudo o que acabara de saber.

Finalmente pegou o braço de seu acompanhante e disse:

— Escute bem, Doudeville. Você vai até a Estação do Norte, onde chegará a tempo de pegar o expresso para o Luxemburgo. Você irá a Veldenz, a capital do grão-ducado de Deux-Ponts-Veldenz. Na prefeitura da cidade conseguirá a certidão de nascimento do cavaleiro de Malreich e informações sobre sua família. Depois de amanhã, sábado, estará de volta.

— Devo prevenir a Sûreté?

— Eu me encarregarei. Telefonarei prevenindo que você está doente. Ah! uma palavra ainda. Nós nos encontraremos ao meio-dia, num pequeno café da estrada da Revolte, que chamam restaurante Búfalo. Ponha-se a caminho.

Já no dia seguinte, Lupin, vestindo uma camisa curta e tendo na cabeça um gorro, dirigiu-se para Neuilly e iniciou seu inquérito no número 3 da estrada da Revolte. Uma entrada larga abria-se para uma primeira área e aí se encontrava uma verdadeira cidade, uma série de aberturas ou lojas, ateliês, onde pululava uma população de artesãos, mulheres e crianças. Em poucos minutos ganhou a confiança da porteira encarregada com a qual conversou durante uma hora sobre os mais diversos assuntos. Durante essa hora, viu passar, um de cada vez, três indivíduos cujo modo de andar chamou-lhe a atenção.

— Isto — pensou — é caça que se sente ao longe... pelo simples cheiro... Um ar de pessoas honestas, por minha vida! Mas com o olhar de fera que sabe que o inimigo está em toda parte, e que cada moita, cada furo de vegetação, pode esconder uma armadilha.

Na tarde e na manhã de sábado, prosseguiu em suas buscas e teve a certeza que os sete cúmplices de Altenheim moravam todos nesse conjunto de habitações. Quatro dentre eles exerciam abertamente a profissão de "vendedores de roupas". Dois outros vendiam jornais, e o sétimo se dizia antiquário e era por esse nome que o chamavam.

Passavam uns pelos outros sem dar a impressão de que se conheciam. Mas à noite Lupin constatou que se reuniam numa espécie de cocheira, situada no fundo do último pátio, cocheira onde o Antiquário guardava suas mercadorias, fogareiros estragados, tubos de fogareiros enferrujados... e sem dúvida também a maior parte dos objetos roubados.

— Vamos — disse ele a si mesmo —, o trabalho caminha. Pedi um mês ao meu primo da Alemanha mas acho que uma quinzena bastará. E o que me agrada é começar a operação por estes malandros que me fizeram dar um mergulho no Sena. Meu velho Gourel, finalmente vou vingá-lo. Mas não tão cedo! Ao meio-dia entrava no restaurante Búfalo, numa pequena saleta baixa, onde operários e cocheiros iam comer o prato do dia.

Alguém veio sentar-se a seu lado.

— Tudo feito, chefe.

— Ah! é você, Doudeville. Tanto melhor. Tenho pressa em saber. Tem as informações? A certidão de nascimento? Rápido, conte...

— Pois vamos a isso. O pai e a mãe de Altenheim morreram no estrangeiro.

— Adiante.

— Deixaram três crianças.

— Três?

— Sim, o mais velho teria hoje trinta anos. Chamava-se Raul de Malreich.

— É nosso homem, Altenheim. Depois?

— A mais moça era uma menina, Isilda. O registro marca em tinta recente a indicação "Falecida."

— Isilda, Isilda — repetiu Lupin —, é bem o que eu pensava, Isilda era irmã de Altenheim... Vira nela uma certa expressão na fisionomia que eu já conhecia... Eis o elo que os uniu... Mas a outra, a terceira criança, ou melhor a segunda, a do meio?

— Um filho. Teria atualmente vinte e seis anos.

— Seu nome?

— Luís de Malreich.

Lupin sentiu um choque.

— É isto! Luís de Malreich!... As iniciais L. M.... A horrível, e terrível assinatura... O assassino se chama Luís de Malreich... É o irmão de Altenheim e irmão de Isilda. E matou ambos, com medo que revelassem alguma coisa...

Lupin ficou muito tempo taciturno, calado, obcecado pelo homem misterioso. Doudeville perguntou:

— Que podia ele temer de sua irmã Isilda? Ela era louca, segundo me informaram.

— Sim, louca, mas capaz de recordar certos detalhes de sua infância. Teria reconhecido o irmão, com quem fora criada... E essa lembrança custou-lhe a vida.

E acrescentou:

— Louca! Todos eles são loucos... A mãe louca... O pai alcoólatra... Altenheim, um verdadeiro animal... Isilda, uma pobre demente...

E quanto ao outro, o assassino, é o monstro, o maníaco imbecil...

— Imbecil? Então o julga imbecil, chefe?

— Sim, imbecil! Com rasgos de gênio, com uma astúcia e intuição demoníacas, mas um louco, um louco como toda essa família de Malreich. Apenas os loucos matam, sobretudo os loucos como este. Porque afinal...

Calou-se e seu rosto crispou-se de tal forma que Doudeville ficou impressionado.

— O que há, chefe?

— Olhe.

* * *

Um homem acabava de entrar e colocava num cabide o chapéu, um chapéu preto, de feltro mole. Sentou-se à uma pequena mesa, examinou o menu que o garçom lhe entregara, fez o pedido e esperou, imóvel, numa posição rígida, com os dois braços cruzados sobre a toalha da mesa.

Lupin viu-o bem de frente.

Tinha um rosto seco e magro, inteiramente imberbe, marcado por órbitas profundas, ao fundo das quais se viam olhos cinzentos, cor de aço. A pele parecia esticada de um osso a outro, como um pergaminho tão teso, tão espesso, que parecia não permitir penetração de nenhum pelo.

O rosto era taciturno. Nenhuma expressão o animava. Nenhum pensamento parecia pulsar sob essa fronte de marfim. E as pálpebras sem cílios não se moviam nunca, o que dava ao olhar uma imobilidade de estátua.

Lupin fez sinal a um dos garçons da casa.

— Quem é aquele homem?

— Aquele que almoça ali?

— Sim.

— É um cliente. Vem duas ou três vezes por semana.

— Sabe seu nome?

— Claro!!... Leon Massier.

— Oh! — balbuciou Lupin emocionado. — *L. M.*... será ele Luís de Malreich?

Contemplou-o avidamente. Na verdade, o aspecto do homem correspondia a suas previsões, pelo que sabia dele e de sua hedionda existência. Mas o que o perturbava era o olhar do homem, esse olhar de morto. Onde esperava encontrar a vida e a chama... estava a impassibilidade, onde esperava a aflição, a devassidão, a máscara dos grandes malditos.

— Que faz ele?

— Sinceramente não sei dizer. É uma figura curiosa... Está sempre só... Não fala nunca com ninguém. Aqui não conhecemos nem o som de sua voz. Com o dedo ele mostra no menu o prato que deseja... Em vinte minutos termina... Paga e vai embora...

— E volta?

— Depois de quatro ou cinco dias. Não é um cliente habitual.

— É ele, só pode ser ele — repetiu a si mesmo Lupin —, é Malreich que ali está... respirando a quatro passos de mim. Eis as mãos que matam. Eis o cérebro que se embriaga com o perfume do sangue... Eis nosso monstro, o vampiro...

No entanto, seria possível? Lupin acabara por considerá-lo um ser de tal forma fantástico que se sentia desconcertado por vê-lo vivo, indo e vindo, agindo. Nunca pensava nele comendo pão e carne ou bebendo cerveja como qualquer outro, ele que imaginara e agira como um animal imundo que se alimentava de carne crua, viva, e sugava o sangue de suas vítimas.

— Vamos embora, Doudeville.

— O que tem, chefe, está tão pálido!

— Tenho necessidade de tomar ar. Saiamos.

Fora, respirou demoradamente, enxugou a testa coberta de suor e murmurou:

— Está melhor. Eu me sentia sufocado. Dominando-se prosseguiu:

— Doudeville, o desenlace se aproxima. Há semanas que luto, tateando, contra um inimigo invisível. E eis que o acaso, de repente, coloca-o no meu caminho! Agora o jogo está igual.

— Se nós nos separássemos, chefe? Nosso homem nos viu juntos. Notará menos, vendo um sem o outro.

— Será que ele nos viu? — disse Lupin pensativamente. — Ele parece não ver, não ouvir, não olhar. Que tipo desconcertante! Realmente, dez minutos depois Leon Massier apareceu e afastou-se sem mesmo notar que estava sendo seguido. Acendera um cigarro e fumava, com as mãos atrás das costas, como se estivesse flanando, gozando o solo e o ar fresco, parecendo não suspeitar que pudessem vigiar seu passeio.

Atravessou a propriedade, costeou as fortificações, saiu novamente pela porta Champerret, e voltou sobre seus passos para a rua da Revolte.

Iria ele entrar no número 3? Lupin desejou isso ardentemente, mais assim teria uma prova concludente de sua cumplicidade com o bando Altenheim; mas o homem dobrou e entrou na rua Delaizement e seguia-a até depois do velódromo Buffalo.

À esquerda, em frente ao velódromo, entre as quadras de tênis de aluguel e as barracas que as circundavam pela rua Delaizement, havia um pequeno pavilhão isolado, cercado por um minúsculo jardim.

Leon Massier parou, pegou um chaveiro, abriu a grade do jardim e a seguir a porta do pavilhão, desaparecendo.

Lupin avançou com cuidado. Notou logo que os terrenos das casas da estrada da Revolte se estendiam até o muro dos terrenos que estava vendo.

Tendo se aproximado mais, viu que esse muro era alto, muito alto, e que existia uma cocheira, construída no fundo, encostada a ele.

Pela disposição do local, teve a certeza de que essa cocheira estava encostada à cocheira que existia no último pátio 3 da estrada da Revolte e que servia de depósito ao Antiquário.

Assim. Leon Massier morava numa casa contígua à construção onde se reuniam os cúmplices de Altenheim. Leon Massier, portanto, era o chefe supremo que comandava o bando, e era, evidentemente, por uma passagem existente entre as duas cocheiras que se comunicava com seus comandados.

— Não me enganei — disse Lupin. — Leon Massier e Luís de Malreich são a mesma pessoa. A situação começa a se simplificar.

— Bastante — aprovou Doudeville —, e dentro de alguns dias tudo estará regularizado.

— Quer dizer que eu receberei um golpe de estilete na garganta!

— Que está dizendo, chefe!

— Bah! quem sabe! Sempre tive o pressentimento de que esse monstro me traria desgraça.

Daí em diante, por assim dizer, bastaria assistir, acompanhar a vida de Malreich de forma que nenhum dos seus gestos passasse despercebido.

Sua vida, dando crédito a seus vizinhos do quarteirão, ouvidos por Doudeville, era das mais estranhas. O tipo do Pavilhão, como era chamado, morava lá apenas há alguns meses. Não via nem recebia ninguém. Não conheciam nenhum empregado seu. E as janelas, sempre escancaradas até mesmo à noite, viviam às escuras, sem a menor claridade de uma vela ou uma lâmpada que as iluminasse.

Por outro lado, na maioria das vezes Leon Massier saía ao crepúsculo e só voltava muito tarde, de madrugada, diziam pessoas que o encontraram ao raiar do sol.

— E sabem o que ele faz? — perguntou Lupin a seu companheiro quando este foi ao seu encontro.

— Não. Sua existência é completamente irregular, desaparece algumas vezes durante vários dias... ou melhor, fica fechado. Em suma, não sabem de nada.

— Pois bem, nós saberemos, e dentro em breve.

Enganava-se. Após oito dias de investigação e esforços contínuos, não sabia mais nada a respeito desse estranho indivíduo. O mais extraordinário é que, subitamente, enquanto Lupin o seguia, o homem que passeava a passos curtos, sem parar nunca, desaparecia como por milagre. Usava constantemente a casa com duas saídas. Mas outras vezes parecia se evaporar no meio da multidão, como um fantasma. E Lupin ficava petrificado, espantado, cheio de raiva e confusão.

Ele corria para a rua Delaizement e montava guarda. Os minutos se sucediam aos minutos, os quartos de horas aos quartos de horas. Parte da noite se passava. Depois surgia o homem misterioso. Que teria ele feito?

* * *

— Um telegrama para o senhor, patrão — disse-lhe Doudeville uma noite, por volta de oito horas, indo ao seu encontro na rua Delaizement.

Lupin abriu. A Sra. Kesselbach pedia-lhe que fosse em seu socorro. Ao entardecer, dois homens pararam sob suas janelas e um deles dissera: "Sorte nossa terem visto apenas o que queríamos que vissem... Então, está combinado, daremos o golpe esta noite."

Ela descera e constatara que a fechadura de serviço não funcionava mais, ou, pelo menos, podia ser aberta por fora.

— Enfim — disse Lupin —, é o próprio inimigo que nos oferece a batalha. Tanto melhor! Estou cheio de dar plantão sob as janelas de Malreich.

— Ele está lá agora?

— Não, pregou-me outra peça à sua maneira em Paris, justamente quando eu me preparava para pregar-lhe uma. Mas antes de mais nada, escute bem, Doudeville. Você reunirá uma dezena de homens, dos mais fortes... Marco e o contínuo Jerome. Desde a história do Palace-Hotel dei férias... Desta vez que venham. Reunindo os homens, leve-os para a rua de Vignes. O pai Charolais e seu filho devem estar montando guarda. Você falará com ele, combinará tudo, e às onze e meia virá encontrar--me na esquina da rua de Vignes com rua Raynouard. De lá, vigiaremos a casa.

Doudeville afastou-se. Lupin esperou ainda uma hora até que a pacífica rua Delaizement ficasse deserta. Depois, vendo que Leon Massier não voltava, decidiu aproximar-se do pavilhão.

Ninguém a sua volta... Tomou impulso e saltou sobre o rebordo de pedra que sustentava a grade do jardim. Alguns minutos depois estava do lado de dentro.

Seu projeto consistia em forçar a porta e dar busca nos quartos a fim de encontrar as famosas cartas do imperador, roubadas por Malreich em Veldenz.

Porém julgou que uma visita à cocheira era mais urgente.

Ficou surpreendido ao ver que ela não estava fechada e ao constatar, em seguida, com a ajuda de uma lanterna, que estava completamente vazia e que nenhuma porta se abria no muro dos fundos.

Procurou muito tempo sem maior sucesso. Mas do lado de fora viu uma escada encostada à cocheira e que servia, evidentemente, para subir a uma espécie de sótão existente sob o telhado de ardósias.

Velhas caixas, feixes de palha, misturas para jardineiros abarrotavam esse sótão, ou melhor, davam essa impressão, pois descobriu facilmente uma passagem que o levava ao muro dos fundos.

Lá encontrou um caixilho que tentou mover.

Examinando de perto notou primeiro que estava preso ao muro e depois que faltava um dos vidros.

Enfiou o braço: era o vazio. Projetou vivamente a luz da lanterna e olhou: era um grande hangar, uma cocheira maior do que a do pavilhão, cheia de ferragens e objetos de toda espécie.

— Aqui estamos — murmurou Lupin a si mesmo. — Esta abertura é feita no alto da cocheira do Antiquário e é aqui que Luís de Malreich vê, ouve e vigia seus cúmplices, sem ser visto ou ouvido por eles. Está assim explicado por que eles não conhecem o seu chefe.

Tendo esclarecido esse ponto, apagou a luz e se dispunha a partir quando ouviu uma porta que se abria abaixo de si. Alguém entrou. Uma lâmpada foi acesa. Reconheceu o Antiquário.

Resolveu ficar, mesmo porque a expedição não se realizaria enquanto o homem ali estivesse.

O Antiquado tirou dois revólveres do bolso.

Verificou seu funcionamento e mudou as balas assobiando uma canção popular.

Uma hora transcorreu assim. Lupin começava a se inquietar, sem, no entanto, se resolver a partir.

Mais alguns minutos passaram, uma meia hora, uma hora...

Finalmente o homem disse em voz alta.

— Entre.

Um dos bandidos esgueirou-se na cocheira e a seguir, chegou um terceiro, um quarto...

— Estamos todos aqui — disse o Antiquário. — Dieudonné e Joufflu nos encontrarão lá mesmo. Vamos, não temos mais tempo a perder. Estão armados?

— Até os dentes.

— Tanto melhor. Não será fácil.

— Como sabe disso, Antiquário?

— Vi o chefe... Bem, quando digo que vi... Não... afinal ele falou-me...

— Já sei — comentou um dos homens —, na sombra como sempre, numa esquina qualquer. Ah! eu gostava mais das maneiras de Altenheim. Pelo menos sabíamos o que fazíamos.

— E não sabe? — retrucou o Antiquário. — Vamos roubar a casa da Kesselbach.

— E os dois guardas? Os dois homens que Lupin colocou lá?

— Pior para eles. Nós somos sete. Nada poderão fazer.

— E a Kesselbach?

— Primeiro a mordaça, depois a corda para amarrá-la e a traremos para cá... Aí, nesse velho canapé. Aqui esperaremos as novas ordens.

— Seremos bem pagos?

— Primeiro as joias da Kesselbach.

— Sim, se tudo correr bem. Mas falo do certo.

— Três notas de cem francos adiantados para cada um de nós. Depois o dobro.

— Está com o dinheiro?

— Estou.

— Ainda bem. Podemos dizer o que bem desejarmos, mas em matéria de pagamento não há outro como este.

E com uma voz tão baixa que Lupin custou a entender:

— Diga, Antiquário, se formos forçados a usar a faca haverá uma taxa extra?

— A de sempre: dois mil.

— Se for Lupin?

— Três mil.

— Ah! Se pudéssemos apanhá-lo... Um de cada vez, deixaram a cocheira. Lupin ouviu ainda a voz do Antiquário:

— Eis o plano de ataque. Vamos nos separar em três grupos. Um apito, e cada um vai adiante.

Apressadamente, Lupin deixou seu esconderijo, desceu a escada, contornou o pavilhão sem entrar e saltou novamente a grade.

— O Antiquário tem razão, isto vai pegar fogo... Ah! é a minha pele que eles querem. Um prêmio especial pela cabeça de Lupin! Canalhas!

Tomou um táxi.

— Rua Raynouard.

Parou a uns trezentos metros da rua de Vignes e caminhou até a esquina das duas ruas.

Para sua surpresa, Doudeville não estava lá.

— Estranho — disse a si mesmo Lupin. — No entanto já passa da meia-noite... Está me parecendo muito estranho esse negócio.

Esperou dez minutos, vinte minutos. À meia-noite e meia, ninguém. Um atraso era perigoso. Além do mais, se Doudeville e seus amigos não pudessem vir, Charolais e seu filho, ajudados por ele, Lupin, bastariam para rechaçar o ataque, sem contar com a ajuda dos empregados.

Portanto, foi em frente. Mas dois homens apareceram procurando esconder-se nas sombras.

— Caramba! — murmurou, — a grande avançada do bando, Dieudonné e Joufflu. Atrasei-me estupidamente.

Perdeu tempo novamente. Deveria ir ao encontro dos dois para pô-los fora de combate e entrar depois na casa pela cozinha, que sabia livre? Era o que parecia mais prudente, pois lhe permitiria por outro lado tirar a Sra. Kesselbach da casa, colocando-a a salvo.

Mas era, ao mesmo tempo, o fracasso do seu plano e perder a ocasião que lhe aparecia de pegar na armadilha todo o bando e, sem nenhuma dúvida, também Luís de Malreich.

Subitamente o som de um apito vibrou em algum lugar do outro lado da casa.

Já eram os outros? E um contra-ataque teria lugar mesmo no jardim? Mas, de acordo com o sinal dado, os dois homens saltaram a janela.

Desapareceram.

Lupin correu, subiu ao balcão e pulou para dentro da cozinha. Pelo barulho dos passos, acreditou que os assaltantes estivessem no jardim e o ruído era tão preciso que ficou tranquilo. Charolais e o filho não podiam deixar de ouvi-lo.

Portanto subiu. O quarto da Sra. Kesselbach dava para o patamar.

Rapidamente entrou.

À luz de um abajur, percebeu Dolores num sofá, desmaiada. Precipitou-se em sua direção, levantou-a, e numa voz imperiosa obrigou-a a responder:

— Ouça... Charolais? Seu filho? Onde estão?

Ela balbuciou:

— Como?... Mas partiram...

— Partiram! Como?

— Recebi um recado seu... há uma hora, uma mensagem telefônica...

Pegou perto dela um papel azul e leu:

"Mande embora imediatamente os dois guardas... e todos os meus homens... eu os espero no Grand-Hotel. Não tenha receio."

— Diabo! E acreditou nisso! E seus empregados?

— Partiram.

Chegou à janela. Do lado de fora três homens se aproximavam da extremidade do jardim. Pela janela do quarto vizinho, que dava para a rua, viu dois outros, do lado de fora. Pensou em Dieudonné, em Joufflu, em Luís de Malreich, sobretudo, que devia andar por perto, invisível e formidável.

— Caramba! — murmurou. — Começo a crer que desta vez me apanharam.

O HOMEM DE PRETO

Naquele momento Arsène Lupin teve a certeza que caíra numa emboscada por meios que não conseguia esclarecer bem mas respeitava a habilidade e a astúcia prodigiosas.

Tudo estava combinado, determinado: o afastamento de seus homens, o desaparecimento ou traição dos empregados, sua própria presença na casa da Sra. Kesselbach.

Tudo isso fora feito graças a circunstâncias felizes para o inimigo, beirando o milagre. Ele poderia ter chegado antes que a falsa mensagem dispensasse seus amigos. Mas então seria a guerra do seu bando contra o bando de Altenheim. E Lupin, recordando a conduta de Malreich, o assassinato de Altenheim, o envenenamento da louca de Veldenz, se perguntava se a armadilha fora montada contra ele apenas ou se Malreich não previra uma confusão geral e a supressão de seus cúmplices que, agora, o incomodavam.

Intuição apenas, uma ideia que veio na cabeça. A hora era de ação. Precisava defender Dolores, cujo rapto, de qualquer forma, era a razão deste ataque. Entreabriu a janela para a rua e apontou o revólver. Um tiro, o alarme dado no quarteirão, e os bandidos fugiriam.

— Pois bem, não — murmurou consigo mesmo — não. Nunca dirão que fugi à luta. A ocasião era muito boa... E além disso, quem saberia se fugiriam ou não?... São numerosos e pouco ligariam aos vizinhos.

Voltou ao quarto de Dolores. Embaixo, um ruído. Apurou o ouvido e, como viesse da escada, deu duas voltas na chave.

Dolores chorava convulsivamente. Pediu:

— Tem força? Estamos no primeiro andar. Poderei ajudá-la a descer... Com a ajuda das cobertas da cama, pela janela...

— Não, não, não me deixe... Eles vão me matar... Defenda-me.

Tomou-a em seus braços e levou-a para o quarto vizinho. E debruçando-se sobre ela:

— Não se mexa e fique calma. Juro que, enquanto for vivo, nenhum desses homens a tocará.

A porta do primeiro quarto foi sacudida. Dolores gritou agarrando-se a ele:

— Ah! Estão aí... Eles vão matá-lo... está só.

Disse-lhe ardentemente:

— Não estou só: você está ao meu lado... perto de mim.

Tentou livrar-se. Ela segurou-lhe a cabeça e olhou-o profundamente nos olhos murmurando:

— Aonde vai? Que vai fazer? Não, não morra... eu não quero... é preciso viver... é preciso...

Balbuciou algumas palavras que ele não entendeu e que ela parecia abafar entre os lábios para que não as ouvisse e, não aguentando mais, voltou a cair, desmaiada.

Debruçou-se sobre ela e contemplou-a um instante. Suavemente, beijou seus cabelos. Depois voltou ao primeiro quarto, fechou cuidadosamente a porta que separava os dois cômodos e acendeu a luz.

— Um minuto, crianças! — gritou. — Estão assim com tanta pressa para demolir tudo?... Sabem que é Lupin que está aqui? Tomem cuidado! Enquanto falava abriu um biombo de forma a esconder o sofá onde, ainda há pouco, descansara a Sra. Kesselbach e atirou sobre o mesmo um monte de roupas e cobertas.

A porta ia se quebrar devido ao ímpeto dos assaltantes:

— Um momento! Já atendo! Estão prontos? Pois bem, entre o primeiro!...

Rapidamente rodou a chave na fechadura e puxou o trinco. Gritos, ameaças, uma agitação de brutos rancorosos que apareceram enquadrados pela porta aberta. No entanto nenhum ousou adiantar-se. Antes de se atirarem sobre Lupin, hesitavam, tomados pela inquietação, o medo... Era o que ele previra.

De pé, no centro da peça, na claridade, o braço estendido, tinha entre os dedos um monte de notas com as quais fazia, contando-as, sete montes iguais. Tranquilamente declarou:

— Três mil francos de prêmio para cada se Lupin for mandado *ad patres*. É isso, não é? Não é o que prometeram? Pois aqui tem o dobro.

Depositou os montes de notas numa mesa, ao alcance dos bandidos. O Antiquário gritou:

— Nada de histórias! Procura ganhar tempo.

Atirem! Levantou o braço. Seus companheiros o seguraram.

Lupin continuava:

— É claro que isso não muda de forma alguma seu plano original. Vocês entraram aqui: 1º para raptar a Sra. Kesselbach; 2º aproveitando, roubar as joias. Eu me consideraria o último dos miseráveis se me opusesse a esse duplo desejo.

— Ah! Isto agora, aonde quer chegar? — grunhiu o Antiquário, que apesar de tudo estava interessado.

— Ah! ah! o Antiquário começa a se interessar. Entre, meu velho... Entrem todos... Há muitas correntes de ar no alto dessas escadas... e meninos como vocês podem se resfriar... E então! será que temos medo? No entanto estou só... Coragem, meus pombinhos.

Entraram no cômodo, intrigados e desconfiados.

— Empurre a porta, Antiquário... ficaremos mais à vontade. Obrigado. Ah! Estou vendo que enquanto isso as notas de mil desapareceram. Assim estamos de acordo. Como sempre, há bom entendimento entre pessoas de bem!

— E depois?

— Depois? Pois bem, já que estamos associados...

— Associados!

— Diabo, não aceitaram meu dinheiro? Trabalhamos juntos, meu caro, e é juntos que vamos: 1º raptar a senhora; 2º levar as joias.

O Antiquário zombou:

— Não precisamos de você.

— Precisam, estúpido.

— Para quê?

— É que vocês ainda não sabem onde se encontra o esconderijo das joias e eu conheço.

— Nós o encontraremos.

— Amanhã. Esta noite não.

— Então fale. Que quer?

— A partilha das joias.

— Por que não ficou com tudo já que conhece tão bem o esconderijo?

— É impossível abri-lo só. Há um segredo mas não sei qual. Como estão aí, me ajudarão.

O Antiquário hesitava.

— Partilhar... partilhar... Algumas peças e um pouco de cobre, talvez...

— Imbecil! Há perto de um milhão.

Os homens estremeceram impressionados.

— Seja — disse o Antiquário, — mas se a Kesselbach fugir? Ela está no outro quarto, não?

— Não, está aqui.

Lupin afastou um instante uma das partes do biombo e deixou entrever o monte de roupas e cobertas que preparara sobre o sofá.

— Está aqui, desfalecida. Mas só a entregarei depois da partilha.

— Entretanto...

— É pegar ou largar. Não importa que eu esteja só. Sabem bem o quanto valho. Portanto...

Os homens se consultaram entre si e o Antiquário disse:

— Onde é o esconderijo?

— Sob o forno da lareira. Mas é preciso, quando não se sabe o segredo, levantar antes a lareira, o espelho, os mármores, tudo num bloco só, ao que parece. O trabalho é duro.

— Bah! Estamos aqui para isso. Vai ver. Em cinco minutos...

Deu as ordens e logo seus companheiros se entregaram ao trabalho com um afã e uma disciplina admiráveis. Dois dentre eles, de pé sobre cadeiras, procuravam levantar o espelho. Os quatro outros trataram da lareira. O Antiquário, ajoelhado, examinava o forno e comandava:

— Força, rapazes!...

Todos juntos, vamos!... Atenção!... um, dois... Ah! está se movendo.

Imóvel atrás deles, com as mãos nos bolsos, Lupin olhava ternamente e, ao mesmo tempo, saboreava orgulhosamente, como artista e mestre, essa violenta prova de sua autoridade, sua força, do domínio incrível que exercia sobre os outros. Como esses bandidos puderam admitir, por um segundo que fosse, a estapafúrdia história e perder a noção das coisas a ponto de dar lhe todas as chances da batalha? Tirou do bolso dois grandes revólveres, maciços, formidáveis, estendeu o braço e, tranquilamente, escolhendo os dois primeiros homens, abateu-os, e dois logo a seguir, apontou como se aponta para um alvo, num estande de tiro. Dois tiros de uma vez e mais dois...

Gritos... Quatro homens caíram ao chão, uns depois dos outros, como bonecos num jogo de massacre.

— Quem de sete tira quatro, restam três — disse Lupin. — É preciso continuar? Seus braços continuavam estendidos, seus dois revólveres apontados para o grupo formado pelo Antiquário e seus dois companheiros.

— Miserável! — rosnou o Antiquário procurando uma arma.

— Mãos ao alto ou eu atiro — gritou Lupin. — Perfeito! Agora vocês o desarmem, senão...

Os dois bandidos, trêmulos de medo, paralisaram seu chefe e o obrigaram a submeter-se.

— Amarrem-no!... Amarrem-no, diabo! Que é que ele poderá fazer a vocês?... Quando eu partir, vocês estarão livres... Vamos, onde estamos? Os punhos primeiro... com seus cinturões... E os tornozelos. Mais depressa do que isso...

Vencido, o Antiquário não resistia mais. Enquanto seus companheiros o amarravam, Lupin debruçou-se sobre eles e deu dois terríveis golpes com as coronhas na cabeça. Ambos desmaiaram.

— Eis um bom trabalho — disse ele respirando. — Pena que não tenham sido uns cinquenta... Estou em forma... E tudo isso perfeitamente tranquilo... com um sorriso nos lábios... Que pensa disso, Antiquário?

O bandido praguejou.

— Não fique melancólico, infeliz. Console-se pensando que coopera com uma boa ação, a salvação da Sra. Kesselbach. Ela vai agradecer sua galanteria.

Dirigiu-se para a porta do segundo quarto e abriu-a.

— Ah! — disse ele parando na soleira, desamparado.

O quarto estava vazio. Aproximou-se da janela e viu uma escada apoiada na varanda, uma escada de aço, desmontável.

— Raptada... raptada... — murmurou ele. — Luís de Malreich... Ah! o pirata...

* * *

Refletiu um minuto, esforçando-se por dominar sua aflição e dizendo a si mesmo que apesar de tudo, como a Sra. Kesselbach não parecia correr nenhum perigo imediato, não precisava se alarmar. Mas uma raiva surda sacudiu-o subitamente e precipitou-se sobre os bandidos, distribuiu algumas botinadas nos feridos que se agitavam, procurou e recuperou o dinheiro, depois amordaçou-os, amarrou suas mãos com tudo que encontrou — cordões de cortinas, cobertas e lençóis rasgados em bandas —, e finalmente alinhou no assoalho sete pacotes humanos, apertados uns aos outros, e amarrados como fardos.

— Espetos de múmia ao canapé — zombou ele. — Prato suculento para um apreciador!... Punhado de idiotas, como chegaram a isso? Eis aí vocês parecendo afogados no necrotério... Mas ainda assim atacam Lupin, Lupin defensor da viúva e do órfão?... Tremem? Não, meus pombinhos! Lupin nunca fez mal a uma mosca sequer... Apenas Lupin é um homem honesto que não gosta de canalha, e Lupin conhece seus deveres. Vejamos, será possível viver com vagabundos como vocês? Então? Mais respeito pela vida do próximo. Mais respeito pelos bens dos outros? Mais leis? Mais sociedade? Mais consciência? Mais nada. Aonde iremos parar, senhor, aonde?

Sem mesmo ter o cuidado de aprisioná-los, trancá-los, saiu do quarto, chegou à rua e caminhou até encontrar um táxi. Mandou o motorista à procura de outro automóvel e levou os dois carros até diante da casa da Sra. Kesselbach.

Uma boa gorjeta, dada adiantadamente, evitou explicações. Com a ajuda dos dois homens, desceu os sete prisioneiros e instalou-os nos dois carros, uns por cima dos outros, empilhados. Os feridos gritavam, gemiam. Fechou as portas.

— Cuidado com as mãos — preveniu.

Subiu ao lado do motorista do primeiro carro.

— A caminho!

— Aonde vamos? — perguntou o motorista.

— 36, Quai des Orfèvres, à Sûreté.

Os motores roncaram... um ruído de ferragens, e o estranho cortejo adiantou-se pelas ladeiras do Trocadero.

Nas ruas ultrapassaram algumas charretes de legumes. Homens munidos de compridas varas apagavam os lampiões.

Havia estrelas no céu. Uma brisa fresca soprava.

Lupin cantava.

A Praça da Concorde, o Louvre... Ao longe a massa escura da Notre Dame...

— Vai tudo bem, camaradas? Eu também, obrigado. A noite está deliciosa e respiramos um ar!...

Sacolejaram no calçamento desigual do cais. Logo adiante o Palácio da Justiça e a Sûreté.

— Fiquem aqui — disse Lupin aos dois motoristas —, e sobretudo tomem conta dos seus sete clientes.

Passou pelo primeiro pátio e seguiu pelo corredor da direita que desembocava nos escritórios do serviço central. Aí se encontravam, permanentemente, inspetores.

— Uma boa caçada, senhores — disse entrando, — caça grossa. O Sr. Weber está? Sou o novo comissário de polícia de Auteuil.

— O Sr. Weber está em seu apartamento. Quer que o avise?

— Um segundo. Estou com pressa. Vou deixar um bilhete. Sentou-se diante de uma mesa e escreveu:

"Meu caro Weber,

Eu lhe trago os sete bandidos que compunham o bando de Altenheim, os que mataram Gourel... e outros que me mataram também, sob o nome de Lenormand.

Falta apenas seu chefe. Vou prendê-lo imediatamente. Venham encontrar-se comigo. Ele mora em Neuilly, rua Delaizement, e usa o nome de Leon Massier.

Cordiais saudações

Arsène Lupin Chefe da Sûreté."

Envelopou e fechou.

— Eis para o Sr. Weber. É urgente. Agora preciso de sete homens para receber a mercadoria. Deixei-a no cais.

Diante dos autos foi alcançado por um inspetor-chefe.

— Ah! é o Sr. Leboeuf — disse. — Tive uma boa pescaria... Todo o bando de Altenheim... Eles se encontram dentro dos autos.

— Onde os prendeu?

— Quando procuravam raptar a Sra. Kesselbach e pilhar a casa.

Explicarei tudo no momento oportuno.

O inspetor-chefe levou-o para um lado e disse com um ar espantado:

— Desculpe-me mas procuraram-me da parte do comissário de Auteuil e não me parece... A quem tenho a honra de falar?...

— À pessoa que vos faz presente de sete vagabundos da pior espécie.

— Mas gostaria de saber?

— Meu nome? — Sim.

— Arsène Lupin.

Deu uma rasteira em seu interlocutor, correu até a rua de Rivoli, saltou num automóvel que passava e pediu que o levasse à porta de Temes.

As casas da estrada da Revolte estavam próximas. Dirigiu-se para o número 3. Apesar de todo seu sangue-frio e do domínio que tinha sobre si mesmo, Arsène Lupin não conseguia dominar a emoção que o invadia. Encontraria Dolores Kesselbach? Luís de Malreich teria levado a jovem senhora para sua casa ou para a cocheira do Antiquário? Lupin tomara do Antiquário a chave da cocheira, de forma que foi fácil, depois de ter batido e atravessado todos os pátios, abrir a porta e penetrar no ferro-velho.

Acendeu a lanterna e orientou-se. Um pouco à direita havia um espaço livre onde se dera a reunião que assistira entre o Antiquário e seus cúmplices.

Num divã, uma forma negra. Envolvida em cobertas, amordaçada, Dolores estava ali... Socorreu-a.

— Ah! Você chegou... você chegou.., — balbuciou ela...

— Não lhe fizeram nada? E logo se levantando e apontando o fundo da cocheira:

— Por ali, ele saiu por ali... eu o ouvi... estou certa... é preciso ir... eu lhe peço...

— Primeiro vamos ver como está — disse ele.

— Não, ele... apanhe-o... eu lhe peço... apanhe-o.

O medo, desta feita, em lugar de abatê-la parecia incutir-lhe uma estranha força, e repetia, em seu desejo de entregar o terrível inimigo que a torturava:

— Primeiro ele... Não posso mais viver, é preciso que me salve dele, é preciso... não posso mais viver assim...

Libertou-a, estendeu-a cuidadosamente no sofá e disse-lhe:

— Tem razão... Aliás, aqui não tem nada a temer... Espere-me que voltarei...

Quando se afastava, ela segurou vivamente sua mão:

— Mas você?

— E então?

— Se esse homem...

Parecia temer por Lupin, esse supremo combate a que o expunha e que, no último momento, tentava detê-lo. Murmurou:

— Obrigado. Fique tranquila.

Que tenho a temer? Ele está só.

Deixando-a, dirigiu-se para os fundos. Como esperava, descobriu uma escada encostada ao muro que o levou até a pequena abertura por onde assistira a reunião dos bandidos.

Refez o caminho que fizera algumas horas antes, passou para a outra cocheira e desceu ao jardim. Encontrou-se bem atrás do pavilhão ocupado por Malreich.

Fato curioso, não duvidou uma única vez de que Malreich não estivesse lá. Inevitavelmente iria encontrá-lo, e o duelo formidável que sustentavam entre si chegaria ao fim. Alguns minutos a mais e tudo estaria terminado.

Ficou confuso! Segurou a maçaneta de uma porta e ela rodou em sua mão, sem esforço. O pavilhão nem mesmo estava fechado. Atravessou uma cozinha, um vestíbulo, e subiu uma escada, avançando deliberadamente sem procurar abafar o ruído de seus passos.

No patamar, parou. O suor corria por sua testa e suas têmporas batiam ao afluxo do sangue. Entretanto estava calmo, dono de si e consciente de seus menores pensamentos. Depositou num degrau seus dois revólveres.

— Nada de armas — disse a si mesmo, — apenas minhas mãos, nada mais do que minhas mãos... é o bastante... e melhor.

Diante de si três portas. Escolheu a do centro e rodou a maçaneta. Nenhum obstáculo. Entrou. Não havia luz no quarto, mas pela janela completamente aberta entrava a claridade difusa da noite, e na sombra podia perceber os lençóis e os cortinados da cama. Ali se encontrava alguém.

Atirou brutalmente sobre a silhueta o feixe luminoso de sua lanterna.

— Malreich! O rosto pálido de Malreich, seus olhos sombrios, suas maçãs do rosto, seu pescoço descarnado...

Tudo isso estava imóvel, a cinco passos dele, e não saberia dizer se essa face inerte, essa face de morto, exprimia o mais leve terror ou apenas um pouco de inquietude. Lupin deu um passo, um segundo, um terceiro. O homem não se mexeu.

Estaria vendo? Compreenderia? Dir-se-ia que seus olhos fitavam o vazio e que se julgava mais obcecado por uma alucinação do que assustado por uma imagem real.

Mais um passo.

— Ele vai se defender — pensou Lupin, — é preciso que se defenda. E Lupin esticou o braço em sua direção.

O homem não fez um gesto, não recuou, suas pálpebras não bateram. Houve o contato.

E foi Lupin que, transtornado, espantado, perdeu a cabeça. Derrubou o homem, estendeu-o na cama, enrolou-o nos lençóis, apertou-o com as cobertas e manteve-o sob seu joelho, como uma presa perigosa... sem que o homem tentasse o menor gesto de resistência.

— Ah! — exclamou Lupin, fora de si de alegria e de ódio saciado, — finalmente esmaguei-o, animal nojento! Sou eu o mestre, finalmente!...

Ouviu um ruído do lado de fora, na rua Delaizement, pancadas que davam na grade. Precipitou-se para a janela e gritou:

— É você, Weber. Já! Chegou em boa hora! Você é um servidor perfeito! Feche a grade, meu bom homem, e venha que será bem recebido.

Em alguns minutos deu uma busca nas vestimentas do seu prisioneiro, apropriou-se de sua carteira, apanhou os papéis que encontrou nas gavetas da mesa e da secretária, espalhou-os sobre um móvel e examinou-os.

Deu um grito de alegria: o pacote com as cartas ali estava, o pacote das famosas cartas que prometera entregar ao imperador. Colocou o restante dos papéis em seus lugares e correu à janela:

— Está tudo pronto, Weber! Pode entrar! Você encontrará o assassino de Kesselbach em sua cama, devidamente preparado e amarrado... Adeus, Weber...

E degringolando pela escada abaixo, correu até a cocheira e, enquanto Weber entrava na casa, ele retornava ao encontro de Dolores Kesselbach. Sozinho conseguira prender os sete companheiros de Altenheim.

E entregara à justiça o chefe misterioso do bando, o infame monstro, Luís de Malreich!

* * *

Em uma grande sacada de madeira, sentado diante de uma mesa, um jovem escrevia. Algumas vezes levantava a cabeça e contemplava com um olhar vago o horizonte de colinas onde as árvores, desfolhadas pelo outono, deixavam cair suas últimas folhas sobre os telhados vermelhos das vilas e sobre a grama dos jardins. Então recomeçava a escrever.

Depois de um momento, tomou a folha de papel e leu em voz alta:

"Nossos dias se vão, sem rumo
Como levados pela corrente
Que os leva para uma praia
A que se chega quando morre."

— Nada mal — disse uma voz atrás dele. — Senhora. Amable Tastu não poderia fazer melhor. Afinal, de contas, nem todos podem ser Lamartine...

— O senhor!... O senhor... — balbuciou o rapaz espantado.

— Sim, poeta, eu mesmo, Arsène Lupin, que vem visitar seu velho amigo Pierre Leduc.

Pierre Leduc pôs-se a tremer como se estivesse febril. Disse em voz baixa:

— Chegou a hora?

— Sim, meu excelente Pierre Leduc, a hora chegou para você interromper a pacata existência de poeta que leva há vários meses aos pés de Geneviève Ernemont e da Sra. Kesselbach, e passar a interpretar o papel que eu lhe reservei em minha peça... uma bela peça, posso lhe assegurar, um pequeno drama, bem trabalhado, segundo as regras artísticas, com trêmulos, risos, e rangidos de dentes. Chegamos ao quinto ato, o final se aproxima e é você, Pierre Leduc, que será o herói. Que glória!

O rapaz levantou-se:

— E se eu recusar?

— Idiota!

— Sim, se eu recusar? Afinal de contas quem me obrigará a submeter-me à sua vontade? Quem me obrigará a aceitar um papel que ainda não conheço, mas que já me repugna antes mesmo e do qual tenho vergonha?

— Idiota! — repetiu Lupin.

E forçando Pierre Leduc a sentar-se, tomou lugar à sua frente, dizendo com voz mais suave:

— Você esquece, meu jovem, que se você se chama Pierre Leduc é porque você, Gérard Baupré, assassinou Pierre Leduc e roubou a sua personalidade.

O jovem pulou indignado:

— Está louco! Sabe bem que tudo foi combinado pelo senhor mesmo...

— Por minha vida, eu sei bem disso. E a justiça, quando eu lhe fornecer a prova de que o verdadeiro Pierre Leduc está morto, e morto de forma violenta, e que você tomou o seu lugar?

Apavorado o jovem gaguejou:

— Não acreditarão... Por que eu faria uma coisa dessas? Com que fim?

— Idiota! A finalidade é tão visível que até Weber poderá vê-la. Você mente quando diz que não quer aceitar um papel que ignora. Esse papel, você o conhece. É o que representaria Pierre Leduc se não estivesse morto.

— Mas Pierre Leduc para mim, para todo mundo, não passa de um nome. Quem é ele? Quem sou eu?

— E o que é que você tem com isso? Que lhe importa?

— Quero saber. Quero saber para onde vou.

— Se souber, irá em frente?

— Irei se o fim a que se propõe valha a pena.

— Sem isso, acredita que eu lhe daria tanto trabalho?

— Quem sou eu? E qualquer que seja o meu destino, esteja certo de que serei digno dele. Mas quero saber. Quem sou eu?

Lupin tirou o chapéu, inclinou-se, e disse:

— Hermann IV, grão-duque de Deux-Ponts-Veldenz, príncipe de Berncastel, eleitor de Trèves e senhor de outros lugares.

Três dias mais tarde, Lupin levava a Sra. Kesselbach de automóvel até a fronteira. A viagem foi silenciosa. Lupin lembrava, emocionado, o gesto assustado de Dolores e as palavras que pronunciara na casa da rua de Vignes, no momento em que ia defendê-la dos cúmplices de Altenheim. E ela devia recordar-se também pois ficava sem jeito a seu lado, visivelmente perturbada.

À tarde chegaram a um pequeno castelo envolto em folhagens e flores e coberto por um verdadeiro chapéu de ardósias, cercado por um grande jardim de árvores seculares.

Aí encontraram, já instalada, Geneviève, que voltava da cidade vizinha onde escolhera empregados entre o pessoal da terra.

— Eis sua casa, senhora — disse Lupin. — É o castelo de Bruggen. Aí esperará em toda a segurança o fim dos acontecimentos. Amanhã Pierre Leduc, a quem preveni, será seu hóspede.

Saiu em seguida dirigindo-se para Veldenz e entregou ao conde Waldemar o pacote com as famosas cartas que recobrara.

— Sabe das minhas condições meu caro Waldemar — disse Lupin. — Trata-se, em primeiro lugar, de reconstruir a casa de Deux-Ponts-Veldenz e entregar o grão-ducado ao grão-duque Hermann IV.

— A partir de hoje começarei as negociações com o conselho da regência. De acordo com minhas informações, será fácil. Mas o grão-duque Hermann...

— Sua Alteza mora atualmente, sob o nome de Pierre Leduc, no castelo de Bruggen. Fornecerei sobre sua identidade todas as provas necessárias.

Na mesma noite Lupin retomava a estrada para Paris, com a intenção de aí tratar ativamente do processo contra Malreich e os sete bandidos.

O que foi este caso, a forma pelo qual foi conduzido e como se desenvolveu, seria cansativo falar, de tal forma os fatos, até mesmo em seus mínimos detalhes, estão presentes na memória de todos. É um desses acontecimentos tão sensacionais que mesmo os mais desligados de tais assuntos comentam entre si.

Mas o que eu queria lembrar era a participação enorme que teve Lupin durante o caso, mesmo nos incidentes preliminares da instrução.

Na realidade, a instrução foi feita por ele mesmo. Desde o princípio substituiu o poder público, ordenando buscas, indicando medidas a serem tomadas, determinando as perguntas que deveriam ser feitas aos réus, tendo respostas para tudo...

Quem não se recorda do espanto geral, quando todas as manhãs liam nos jornais cartas irresistíveis de lógica e autoridade, cartas assinadas, cada vez de uma forma: Arsène Lupin, juiz de instrução. Arsène Lupin, procurador-geral.

Arsène Lupin, guarda do selo. Arsène Lupin, guarda.

Tinha pelo trabalho uma alegria, um ardor, até mesmo uma violência que espantava, vindas de sua parte, habitualmente tão irônico e sobretudo, por temperamento, tão disposto a uma indulgência, de certa forma, profissional.

Não; desta feita ele odiava. Odiava este Luís de Malreich, bandido sanguinário, animal imundo a quem sempre temera, e que mesmo preso, mesmo vencido, ainda lhe dava essa impressão de horror e repugnância que sentimos à vista de uma serpente.

Por outro lado, Malreich não tivera a audácia de perseguir Dolores?

— Ele jogou, ele perdeu — murmurava para si mesmo Lupin. — Sua cabeça rolará.

Era isso o que ele desejava para seu terrível inimigo: o cadafalso pela manhã nevoenta, quando a lâmina da guilhotina cai e mata...

Estranho réu este que o juiz de instrução interrogou durante meses entre as paredes de seu gabinete! Estranho personagem esse homem ossudo, lembrando um esqueleto, de olhos mortos! Parecia ausente de si mesmo. Não estava ali e sim distante. E bem pouco interessado em responder.

— Eu me chamo Leon Massier.

Esta foi a única frase dentro da qual ele se fechou. E Lupin retrucava:

— Você mente. Leon Massier, nascido em Perigueux, órfão na idade de dez anos, morreu há sete anos. Você roubou seus documentos. Mas esqueceu sua certidão de óbito. Ei-la aqui.

E Lupin enviava ao tribunal uma cópia da certidão.

— Sou Leon Massier — afirmava novamente o réu.

— Você mente — replicava Lupin, — você é Luís de Malreich, o último descendente de um pequeno nobre estabelecido na Alemanha no século XVIII.

Tinha um irmão que de cada vez usava um nome, como Parbury, Ribera ou Altenheim; este irmão, você o matou. Tinha uma irmã, Isilda de Malreich; esta irmã, você a matou.

— Eu sou Leon Massier.

— Você mente. Você é Malreich. Eis a sua certidão de nascimento. Eis a de seu irmão, a de sua irmã.

E Lupin enviou as três certidões.

A não ser no que dizia respeito à sua identidade, Malreich não se defendia, esmagado, sem dúvida, pelo acúmulo de provas levantadas contra ele. Que poderia dizer? Possuíam quarenta bilhetes seus, escritos por seu próprio punho — como o exame pericial da escrita provou — ao bando e seus cúmplices, que esquecera de rasgar, após reavê-los.

Todos esses bilhetes eram ordens referentes ao caso Kesselbach, o rapto do Sr. Lenormand e de Gourel, a perseguição ao velho Steinweg, a abertura do subterrâneo em Garches, etc. Como seria possível negar? Um fato estranho desconcertou a justiça. Acareados com seu chefe, os sete bandidos afirmaram não o conhecer. Nunca o haviam visto. Recebiam instruções ou por telefone ou em locais sombrios, por esses pequenos bilhetes que Malreich lhes entregava rapidamente, sem uma palavra.

Mas a comunicação entre o pavilhão da rua Delaizement e a cocheira do Antiquário não era uma prova evidente de cumplicidade? De lá o chefe vigiava os seus homens. De lá Malreich via e ouvia.

As contradições? Os fatos aparentemente irreconciliáveis? Lupin explicava tudo. Num artigo célebre, publicado na manhã do dia do julgamento, ele estudou o caso desde o princípio, desenrolou a meada, mostrou Malreich morando, sem que soubessem, no quarto de seu irmão, o falso Major Parbury, indo e vindo, invisível, pelos corredores do hotel, e assassinando Kesselbach, assassinando o empregado do hotel e assassinando o secretário Chapman.

Lembram-se dos debates. Foram ao mesmo tempo terríveis e melancólicos: terríveis pela atmosfera de angústia que desabou sobre o público e pelas lembranças de morte e sangue que obcecavam a memória de todos; melancólicos, pesados, obscuros, abafados, devido ao silêncio total mantido pelo acusado.

Nenhum momento de revolta. Nenhum movimento. Nenhuma palavra. Figura de cera, que não via, não entendia! Visão pavorosa de calma e impassibilidade! Na sala, arrepiavam-se. As imaginações perturbadas, mais do que um homem, lembravam uma espécie de ser sobrenatural, um gênio das lendas orientais, um desses deuses da Índia que são o símbolo de tudo que é feroz, sanguinário e destruidor.

Quanto aos outros bandidos, nem sequer os olhavam, comparsas insignificantes que se perdiam na sombra desse chefe gigantesco.

O depoimento mais comovedor foi o da Sra. Kesselbach. Para o espanto de todos e surpresa do próprio Lupin, Dolores, que não respondera a nenhuma das convocações do juiz, e cujo destino era ignorado, compareceu, chorosa viúva, para trazer um testemunho definitivo contra o assassino de seu marido.

Ela disse apenas, depois de olhá-lo bastante tempo:

— Foi este quem entrou em minha casa, na rua de Vignes, foi ele quem me raptou e foi ele quem me trancou na cocheira do Antiquário. Eu o reconheço.

— Tem certeza?

— Juro, diante de Deus e diante dos homens.

No dia seguinte, Luís de Malreich, conhecido como Leon Massier, foi condenado à morte. E sua personalidade era de tal forma absorvente que os seus cúmplices foram, de certa forma, beneficiados por circunstâncias atenuantes.

— Luís de Malreich, não tem nada a dizer? — perguntou o presidente do tribunal.

Ele não respondeu.

Uma única dúvida permaneceu aos olhos de Lupin. Por que Malreich cometeu todos esses crimes? O que desejava ele? Qual o seu fito? Lupin não demoraria a saber e estava próximo o dia em que, trêmulo de horror, desesperado, mortalmente atingido, iria saber a espantosa verdade.

No momento, se bem não conseguisse abandonar essa dúvida, não se ocupou mais do caso Malreich. Resolvido a tratar de outros assuntos, como dizia, por outro lado tranquilo quanto ao futuro da Sra. Kesselbach e de Geneviève, cuja existência pacata acompanhava de longe, e finalmente estando a par, por Jean Doudeville, que enviara a Veldenz, das negociações que prosseguiam entre a Corte da Alemanha e a Regência de Deux-Ponts-Veldenz, empregava seu tempo a esquecer o passado e preparar o futuro.

A ideia de uma vida diferente que pretendia levar aos olhos da Sra. Kesselbach enchia-o de novas ambições e sentimentos imprevistos, onde a imagem de Dolores se encontrava presente, sem que soubesse bem como.

Em algumas semanas, suprimiu todas as provas que um dia poderiam comprometê-lo, todos os traços que pudessem ligá-lo ao passado. Deu a cada um de seus antigos companheiros uma quantia de dinheiro suficiente para colocá-los ao abrigo de qualquer necessidade, anunciando que partia para a América do Sul.

Certa manhã, depois de uma noite de reflexões minuciosas e um estudo aprofundado da situação, exclamou:

— Acabou. Nada mais a temer. O velho Lupin morreu. Que o novo tenha seu lugar.

Trouxeram-lhe um comunicado da Alemanha. Era o desenlace esperado. O Conselho da Regência, fortemente influenciado pela corte de Berlim, submetera a questão aos eleitores do grão-ducado, e os eleitores, fortemente influenciados pelo Conselho da Regência, afirmaram seu empenho inquebrantável à velha dinastia dos Veldenz. O Conde Waldemar ficara encarregado, bem como três delegados, da nobreza, do exército e da magistratura, a ir ao castelo de Bruggen a fim de estabelecer rigorosamente a identidade do Grão-duque Hermann IV, e tomar com Sua Alteza todas as disposições referentes à sua entrada triunfal no principado de seu país, entrada que teria lugar no princípio do mês próximo.

— Desta vez, tudo resolvido — murmurou Lupin, — o grande projeto do Sr. Kesselbach vai se tornar realidade. Falta apenas fazer com que Waldemar engula o meu Pierre Leduc. Brincadeira de criança! Amanhã os proclamas de Geneviève e de Pierre serão publicados. E assim será apresentada a Waldemar a noiva do grão-duque!

Feliz, partiu de automóvel para o Castelo de Bruggen. No carro cantava, assobiava, conversava com o motorista.

— Octave, você sabe a quem tem a honra de conduzir? O dono do mundo... Sim, meu velho, isto o espanta, hein? Perfeitamente, mas é a verdade. Eu sou o dono, o mestre do mundo.

Esfregava as mãos continuando a monologar:

— Assim mesmo demorou. Há um ano que começamos a luta. É bem verdade que foi a maior luta já travada por mim até hoje... Caramba, que guerra de gigantes! E repetia:

— Mas desta vez estamos feitos. Os inimigos naufragaram. Mais nenhum obstáculo entre nós e o fim a que me propus. O lugar está livre, vamos construir! Tenho os materiais à mão, tenho os operários, vamos construir, Lupin! E que o palácio seja digno de ti! Mandou que parasse a algumas centenas de metros do castelo para que sua chegada fosse mais discreta e disse a Octave:

— Você entrará daqui a vinte minutos, às quatro horas, e levará minhas malas para o pequeno chalé do fundo do parque. Ficarei lá.

Na primeira curva do caminho o castelo apareceu-lhe na extremidade de uma sombreada aleia de tílias. De longe, no alto da escadaria, viu Geneviève que passava.

Seu coração emocionou-se docemente.

— Geneviève, Geneviève — disse ternamente — Geneviève... a promessa que fiz a sua mãe moribunda está se cumprindo... Geneviève, grã-duquesa... E eu, na sombra, perto dela, tomando conta de sua felicidade... e prosseguindo as grandes combinações de Lupin...

Estourou de rir, passou para trás de um grupo de árvores que se erguiam à esquerda, e caminhou ao longo das moitas espessas. Dessa maneira pôde chegar até o castelo sem que o vissem das janelas do salão ou dos quartos principais.

Seu desejo era ver Dolores antes que ela o visse, e assim como acontecera com Geneviève, pronunciou seu nome diversas vezes com tal emoção que ele próprio se espantou:

— Dolores... Dolores...

Seguiu furtivamente os corredores e chegou à sala de jantar. Deste cômodo, por um espelho sem aço, podia ver metade do salão.

Aproximou-se.

Dolores estava estendida numa espreguiçadeira e Pierre Leduc, ajoelhado à sua frente, olhava-a extasiado.

MAPA DA EUROPA

Pierre Leduc ama Dolores! Lupin sentiu uma dor aguda e penetrante nas profundezas de seu ser, como se tivesse sido ferido na própria fonte da vida; uma dor tão grande que, pela primeira vez, teve uma percepção clara do que Dolores aos poucos, sem ele saber, se tornara para ele.

Pierre estava olhando para ela como um homem olha para a mulher que ama. Lupin sentiu dentro de si, cego e furioso, o instinto de matar. O olhar, esse olhar amoroso dirigido a ela, esse olhar o enlouquecia. Tinha a noção do grande silêncio que envolvia os dois, e nesse silêncio, na imobilidade das atitudes, nada era mais vivo do que esse olhar de amor, do que esse hino mudo e voluptuoso, através do qual os olhos diziam toda paixão, todo desejo, todo entusiasmo, todo o arrebatamento de um ser pelo outro.

Via também a Sra. Kesselbach. Os olhos de Dolores estavam invisíveis sob as pálpebras baixadas, essas pálpebras sedosas com longos cílios negros. Mas como ela sentia o olhar de amor que procurava o seu! Como ela palpitava sob essa carícia impalpável!

— Ela o ama... ela o ama... — disse a si mesmo Lupin, roído de ciúmes.

E vendo que Pierre fazia um gesto:

— Oh! Miserável! Se ousar tocá-la, eu o mato. Divagava, constatando que não raciocinava direito, esforçando-se por combater esse estado.

— Sou um animal! Como você, Lupin, caiu numa armadilha dessas!... Vejamos, é natural que ela o ame... Sim, evidentemente, você acreditou sentir nela, à sua aproximação, uma certa emoção, certa perturbação... Triplo idiota, você não passa de um bandido, um ladrão... enquanto que ele, é duque, ele é jovem...

Pierre não se mexera mais. Porém seus lábios se moveram e pareceu que Dolores despertava. Docemente, suavemente, ela entreabriu as pálpebras, virou um pouco a cabeça, seus olhos encontraram os do rapaz, e se entregaram com esse olhar que se oferece e que é mais profundo do que o mais profundo dos beijos.

Bruscamente, como um raio, em três saltos, Lupin entrou no salão, atirou-se sobre o jovem, jogou-o ao chão e ajoelhado sobre seu peito, voltado para a Sra. Kesselbach, gritou:

— Mas então não sabe? Ele não lhe disse, o malandro? E você o ama? Será que ele tem o porte de um grão-duque? Ah! Chega a ser engraçado!...

Escarnecia raivosamente, enquanto Dolores olhava espantada:

— Um grão-duque, ele! Hermann IV, duque de Deux-Ponts-Veldenz! Príncipe reinante! Grande eleitor... é de morrer de rir. Ele! Mas se chama Baupré. Gérard Baupré, o último dos vagabundos... um mendigo que apanhei na lama. Grão-duque? Mas fui eu quem o fez grão-duque! Ah! ah! Como é engraçado!... Se o visse cortando o dedo mínimo... desmaiou três vezes... um maricas... Ah! você tem coragem de olhar para as senhoras... e de se revoltar contra o seu mestre... Espere um pouco, grão-duque de Deux-Ponts-Veldenz.

Tomou-o nos braços como um fardo, balançou-o um instante e jogou-o pela janela aberta.

— Cuidado com as roseiras, grão-duque, elas têm espinhos.

Dolores estava a seu lado e olhava-o com olhar que não conhecia, olhar de mulher que odeia e que a cólera exaspera. Seria possível que fosse Dolores, a fraca e doentia Dolores?

Balbuciou:

— Que está fazendo?... Como ousa?... E ele? Então é verdade?... Ele mentiu?

— Se ele mentiu? — estranhou Lupin compreendendo a humilhação da mulher. — Se ele mentiu? Ele, um grão-duque! Simplesmente um polichinelo, um instrumento que eu tinha para tocar o que me desse na veneta! Ah! O imbecil! Novamente raivoso, batia com o pé e mostrava o punho fechado em direção da janela aberta. Pôs-se a andar de um lado para outro na peça, soltando frases onde explodiam a violência de seus pensamentos secretos:

— Imbecil! Não compreendeu? Não adivinhou a grandeza de seu papel? Ah! Esse papel, eu enfiarei à força em seu crânio. Levante a cabeça, cretino! Por minha vontade você será grão-duque! E príncipe reinante! Com um orçamento real e súditos a cobrar impostos! E um palácio que Carlos Magno reconstruirá! E um mestre, que serei eu, Lupin! Compreendeu? Levante a cabeça, infeliz, mais alto! Olhe para o céu, lembre-se que um Deux-Ponts foi enforcado antes mesmo que existissem os Hohenzollern. E você é um Deux-Ponts, desgraçado, e estou aqui, eu, Lupin! Você será grão-duque, eu lhe garanto, grão-duque de papelão? Seja, mas de qualquer forma, grão-duque, animado pelo meu sopro, incendiado pela minha febre. Fantoche? Seja. Mas um fantoche que dirá as minhas palavras, fará meus gestos, que executará as minhas vontades, que realizará meus sonhos, sim, meus sonhos.

Não se movia mais, como se deslumbrado com a grandeza do seu sonho interior.

Aproximou-se de Dolores e, com voz abafada, numa espécie de exaltação mística, proferiu:

— À minha esquerda, a Alsácia-Lorena... À minha direita, Baden, Wurtemberg, a Baviera, a Alemanha do Sul, todos estes Estados mal relacionados, descontentes, esmagados pela bota do Carlos Magno prussiano, mas inquietos, prontos a libertarem-se... Compreende tudo o que um homem pode fazer nesse meio, tudo o que ele pode levantar de aspirações, todo o ódio que pode incutir, tudo o que pode suscitar de revoltas e cóleras?

Mais baixo ainda repetiu:

— E à esquerda a Alsácia-Lorena...

Compreende? Serão sonhos, ora vamos! Será a realidade para depois de amanhã, para amanhã. Sim... eu quero... eu quero... Oh! Tudo o que quero e tudo o que farei é extraordinário!... Mas pense bem, a dois passos da fronteira da Alsácia! Em plena terra alemã! Perto do velho Reno! Bastará um pouco de intriga, um pouco de gênio, para confundir a todos. O gênio eu tenho... para vender... E serei o mestre! Serei aquele que dirige. Para o outro, para o fantoche, o título e as honrarias... Para mim, o poder! Ficarei na sombra. Nenhum cargo: nem ministro, nem mesmo gentil-homem da corte! Nada. Serei um dos servidores do palácio, o jardineiro talvez... Sim, o jardineiro... Oh! Que vida formidável cultivar as flores e modificar o mapa da Europa! Ela contemplou-o avidamente, dominada, submetida pela força desse homem. E seus olhos exprimiam uma admiração que não procurava disfarçar. Ele pôs as mãos nos braços da jovem e disse-lhe:

— Eis aí meu sonho. Por maior que pareça, será ultrapassado pelos fatos, eu juro. O Kaiser já viu o quanto eu valho. Um dia ele me encontrará diante de si, acampado, face a face. Tenho todos os trunfos na mão. Valenglay ficará comigo!... A Inglaterra também... e o jogo está na mesa... Eis o meu sonho... Mas há outro...

Calou-se subitamente. Dolores não tirava os olhos de cima dele e uma emoção inusitada transtornava seu rosto.

Alegrou-se sentindo, uma vez mais e tão nitidamente, a perturbação dessa mulher em sua presença. Não tinha mais a impressão de ser para ela... o que realmente era, um ladrão, um bandido, e sim um homem, um homem que amava e cujo amor revolvia, no fundo de uma alma amiga, sentimentos reprimidos.

Então, sem falar, sem pronunciar nada, disse-lhe todas as palavras de ternura e adoração e sonhou com a vida que poderiam levar, em qualquer parte não muito distante de Veldenz, ignorados e poderosos.

Ficaram unidos por um demorado silêncio. Depois ela se levantou e disse baixinho:

— Vá embora, eu lhe peço para partir... Pierre casará com Geneviève, eu lhe prometo, mas é melhor que parta... que não esteja presente... Vá embora, Pierre casará com Geneviève...

Ele esperou um instante. Talvez preferisse palavras mais diretas, mas não ousou pedir nada. E retirou-se deslumbrado, tonto, e tão feliz por obedecer e juntar seu destino ao dela! No caminho para a porta topou com uma cadeira baixa que teve que afastar. Mas seu pé bateu em algo. Baixou a cabeça. Era um pequeno espelho de bolso, de ébano, com uma marca em ouro.

De súbito estremeceu e rapidamente apanhou o objeto.

Um *L.* e um *M.*!

— Luís de Malreich — disse ele estremecendo.

Voltou-se para Dolores:

— De onde vem este espelho? De quem é? É muito importante...

Ela pegou o objeto e examinou-o:

— Não sei, nunca o vi... de um empregado, talvez...

— Um empregado, com efeito... — disse ele — mas de qualquer forma é muito estranho. Essa coincidência...

No mesmo instante Geneviève entrou pela porta do salão e, sem ver Lupin que estava oculto por um biombo, logo exclamou:

— Ora vejam! Seu espelho, Dolores... Você o encontrou?... Há quanto tempo me pede que o procure!... Onde estava ele? E a jovem logo saiu dizendo:

— Tanto melhor!... Pelo jeito você estava inquieta!... Vou avisar logo para que não percam mais tempo procurando...

Lupin não se movera, confuso e procurando em vão compreender. Por que Dolores não dissera a verdade? Por que não se explicara a respeito do espelho?

Uma ideia aflorou-lhe e disse um pouco ao acaso:

— Conhecia Luís de Malreich?

— Conheço — respondeu ela, observando-o como se procurasse adivinhar seus pensamentos.

Disse para ela com extrema agitação:

— Conhece-o? Quem é ele? O que é isto? Por que não disse nada? Onde o conheceu? Fale... Responda... Eu lhe peço...

— Não — disse ela.

— É preciso, entretanto... é preciso... Pense bem! Luís de Malreich, o assassino, o monstro!... Por que não me disse nada?

Por sua vez, ela colocou a mão sobre os ombros de Lupin e declarou em voz clara e firme:

— Escute, não me interrogue nunca, porque eu nunca falarei... É um segredo que morrerá comigo... Aconteça o que acontecer, ninguém saberá do mesmo, ninguém no mundo, eu juro...

* * *

Durante alguns instantes ficou diante dela, ansioso, o cérebro em turbilhão. Lembrou-se do silêncio de Steinweg e o terror do velho quando pediu a revelação do terrível segredo. Dolores também sabia e se calava.

Sem uma palavra saiu.

Do lado de fora o ar fresco fez-lhe bem. Passou pelos muros do parque e durante muito tempo passeou pelo campo. E falava em voz baixa, para si mesmo:

— O que é isso? Que está acontecendo? Durante meses e meses, lutando e agindo, fiz com que dançassem nas pontas dos seus cordões todos os personagens que deviam concorrer para a execução dos meus projetos; e durante esse tempo, esqueci-me completamente de observá-los mais de perto e ver o que se agitava nos seus corações e seus cérebros. Não conhecia Pierre Leduc, não conhecia Geneviève, não conhecia Dolores... E os tratei como fantoches, quando são personagens com vida própria. E hoje me choco contra vários obstáculos...

Bateu com o pé e exclamou:

— Obstáculos que não existiam! O estado das almas de Geneviève e Pierre não me importa... é assunto que só mais tarde, em Veldenz, estudarei, quando já os tiver feito felizes. Mas Dolores... Ela conhecia Malreich e nada disse... Por quê? Que relações havia entre eles? Tinha ela medo dele? Tinha medo que ele fugisse e viesse vingar-se de alguma indiscrição?

À noite chegou ao chalé que reservara no fundo do parque, e jantou de mau humor, reclamando de Octave que o servia ou muito depressa ou muito lento.

— Chega, quero ficar só... Hoje você só faz asneiras... E o café?... Está horrível.

Deixou a xícara pela metade e durante duas horas passeou pelo parque, retornando às mesmas ideias. Finalmente uma hipótese se delineou em seu espírito:

— Malreich escapou da prisão e aterroriza a Sra. Kesselbach, e já sabe, por ela, do incidente do espelho...

Lupin deu de ombros:

— E esta noite ele vem puxar-me pelos pés. Vamos, estou delirando. O melhor é ir me deitar.

Voltou para o quarto e se deitou. Adormeceu logo, com um sono pesado, agitado por pesadelos. Duas vezes despertou, tentou acender a vela e duas vezes caiu, como um homem arrasado.

Ouvia baterem as horas no relógio da cidade, ou melhor, pensava ouvir pois estava mergulhado num torpor que parecia tomar todo seu espírito.

E os sonhos o perseguiam, sonhos de angústia e de pavor. Nitidamente, percebeu o ruído de sua janela se abrindo. Nitidamente, entre suas pálpebras semicerradas, mesmo com a densa obscuridade, ele viu uma forma que avançava.

E esse vulto debruçava-se sobre ele.

Teve a energia incrível de levantar as pálpebras e olhar... ou, pelo menos, imaginar. Sonhava? Estava acordado? É o que ele se perguntava desesperadamente.

Mais um ruído... Pegavam uma caixa de fósforos a seu lado.

— Eu vou ver — monologou alegremente.

Riscaram um fósforo. A vela foi acesa.

Dos pés à cabeça, Lupin sentiu o suor que escorria por seu corpo, enquanto seu coração parecia parar de bater, aterrorizado. O homem estava ali.

Seria possível? Não, não... E, entretanto, ele via... Oh! Que espetáculo horrível!... O homem, o monstro, estava ali.

— Eu não quero... não quero... — balbuciou Lupin assustado.

O homem lá estava, vestido de negro, uma máscara no rosto, o chapéu mole abaixo sobre os cabelos louros.

— Oh! Eu sonho... estou sonhando... — disse Lupin rindo. — É um pesadelo.

Com toda sua força, toda sua vontade, quis fazer um gesto, um apenas, para espantar o fantasma. Não conseguiu.

De repente lembrou-se: a xícara de café! O gosto daquela bebida... semelhante ao gosto do café que bebera em Veldenz... Soltou um grito, fez um último esforço, e voltou a cair, exausto.

Em seu delírio, sentia que o homem abria o alto de sua camisa, punha sua garganta à mostra, levantava o braço e viu que sua mão se crispava no cabo de um punhal, um pequeno punhal de aço, semelhante àquele que matara o Sr. Kesselbach, Chapman, Altenheim e tantos outros...

* * *

Algumas horas mais tarde Lupin despertou, cansado, com a boca amarga. Ficou alguns minutos procurando reunir as ideias, e de repente lembrando-se teve instintivamente um movimento de defesa como se o atacassem.

— Como sou imbecil! — exclamou ele saltando da cama... — É um pesadelo, uma alucinação. Basta refletir. Se fosse ele, seria um homem em carne e osso que, esta noite, levantara seu braço acima de mim e teria me degolado como a uma galinha. Esse não hesita. Sejamos lógicos. Por que ele teria me poupado? Pelos meus belos olhos? Não, eu sonhei, eis tudo...

Começou a assobiar e vestiu-se demonstrando a maior tranquilidade, mas seu espírito não parava de trabalhar, e seus olhos procuravam...

No chão, junto ao vão da janela, nem sinal. Como seu quarto era no térreo e dormia de janela aberta, era evidente que o agressor deveria ter vindo por ali.

Ora, não descobriu nada, e nada também do lado de fora junto ao muro, ou no saibro da aleia que contornava o chalé.

— Entretanto... entretanto... — murmurava entredentes.

Chamou Octave:

— Onde você preparou o café que me serviu ontem à noite?

— No castelo, chefe, como tudo aliás. Não temos fogão aqui.

— Você bebeu esse café?

— Não.

— Jogou fora o resto que ficou na cafeteira?

— Claro, chefe. O senhor achou tão ruim! Só conseguiu beber algumas gotas.

— Está bem. Apronte o carro. Temos que sair.

Lupin não era homem para ficar na dúvida. Queria uma explicação decisiva com Dolores. Mas para isso tinha necessidade, antes, de esclarecer alguns pontos que lhe pareciam obscuros e ver Doudeville, que lhe enviara de Veldenz informações bastante estranhas.

De um estirão, fez com que fosse levado ao grão-ducado, onde chegou em duas horas. Teve uma entrevista com o conde Waldemar ao qual pediu, sob um pretexto qualquer, retardasse um pouco a viagem dos delegados da Regência.

Depois foi procurar Doudeville numa taberna de Veldenz.

Doudeville então levou-o a outra taberna onde apresentou-o a um senhor baixinho, pobremente vestido: Herr Stockli, empregado nos arquivos de estado civil.

A conversação foi demorada. Saíram juntos e os três passaram furtivamente pelo escritório do governo da cidade. Às sete horas, Lupin jantava e regressava. Às dez horas, chegava ao Castelo de Bruggen e procurava Geneviève, a fim de entrar com ela no quarto da Sra. Kesselbach.

Responderam-lhe que a Srta. Ernemont fora chamada a Paris por um recado de sua avó.

— Está bem — disse ele, — mas a Sra. Kesselbach pode receber-me?

— A senhora retirou-se após o jantar. Deve estar dormindo.

— Não, vi luz em seu quarto. Ela me receberá.

Mal pôde esperar a resposta da Sra. Kesselbach. Entrou na antecâmara seguindo a empregada, mandou esta embora, e disse a Dolores:

— Preciso lhe falar, senhora, é urgente... Desculpe-me... Sei que minha atitude pode parecer inoportuna... Mas compreenderá, tenho certeza...

Estava agitadíssimo e não parecia disposto a adiar a explicação, sobretudo porque, antes de entrar, parecera ouvir um ruído.

No entanto, Dolores estava só, deitada. E ela disse em voz baixa, cansada:

— Poderíamos, talvez... amanhã.

Não respondeu, chocado subitamente, nesse quarto feminino, pelo cheiro de fumo. E de repente teve a intuição, a certeza, de que um homem se encontrava ali, quando chegara, e ainda se encontrava, escondido em algum lugar...

Pierre Leduc? Não, Pierre Leduc não fumava. Então? Dolores murmurou:

— Acabemos de uma vez, eu lhe peço.

— Pois não, mas antes... seria possível que me explicasse... ?

Interrompeu. De que adiantaria interrogá-la? Se na verdade algum homem se escondesse ali, ela iria denunciá-lo? Procurou controlar o mal-estar medroso que o oprimia ao sentir uma presença estranha, disse baixo, de forma a que apenas Dolores ouvisse:

— Soube de algo... que não compreendo... e que me perturba muito. É preciso responder-me, está bem, Dolores? Disse o nome com infinita doçura, como se procurasse dominá-la pela amizade e a ternura dc sua voz.

— O que é esse algo? — disse ela.

— O registro do estado civil traz três nomes, que são os nomes dos últimos descendentes da família Malreich, estabelecida na Alemanha...

— Sei, já me falou disso...

— Nesse caso deve se lembrar que temos primeiro Raul de Malreich, mais conhecido pelo nome de guerra de Altenheim, o bandido, o bandoleiro da sociedade... hoje morto... assassinado.

— Sei.

— A seguir, temos Luís de Malreich, o monstro, o horrível assassino que dentro de alguns dias será decapitado.

— Sim.

— Finalmente, Isilda, a louca...

— Sei.

— Tudo isso, portanto, está bem explicado, não?

— Está.

— Pois bem — disse Lupin debruçando-se sobre ela, — de acordo com a pesquisa a que me entreguei, descobri que o segundo nome da lista, o segundo dos três prenomes, Luís, ou melhor, a linha onde foi escrito, foi anteriormente rasurada. A linha está marcada com uma escrita nova, sobrecarregada, traçada com uma tinta bem mais recente, mas não o suficiente para apagar o que estava escrito por baixo. De forma que...

— De forma quê? — disse a Sra. Kesselbach em voz baixa.

— De forma que com o auxílio de uma boa lente e sobretudo com processos especiais que conheço, pude reavivar as letras rasuradas e, sem possibilidade de erro, com toda certeza, reconstituir a antiga escritura, a escritura original. Não é Luís de Malreich que aí encontramos, e...

— Oh! Cale-se, cale-se...

Subitamente vencida pelo demorado esforço de resistência que opunha, dobrou-se em dois e com a cabeça entre as mãos, os ombros sacudidos por soluços, ela chorava.

Lupin olhou demoradamente essa criatura descuidada e fraca, tão lastimável e desamparada. Teve vontade de calar-se, suspender aquele interrogatório torturante a que a submetia.

Mas não era para salvá-la que agia dessa forma? E para salvá-la não era necessário que soubesse a verdade, por mais dolorosa que fosse? Recomeçou:

— Por que essa falsificação?

— Foi meu marido — balbuciou ela, — foi ele quem fez tudo. Com sua fortuna ele tudo podia e, antes de nosso casamento, conseguiu de um empregado subalterno que mudassem o prenome da segunda criança.

— O prenome e o sexo — disse Lupin.

— Sim — fez ela.

— Dessa forma — retrucou ele — não me enganei: o antigo prenome, o verdadeiro, era Dolores? Mas por que seu marido?...

Ela murmurou com as faces molhadas de vergonha:

— Não compreende?

— Não.

— Mas pense bem — disse ela estremecendo, — eu era a irmã de Isilda, a louca, a irmã de Altenheim, o bandido. Meu marido, ou melhor meu noivo, não quis que eu ficasse assim. Ele me amava. Eu também o amava e consenti. Ele apagou dos registros Dolores de Malreich, comprou-me outros documentos, outra personalidade, outra certidão de nascimento, e casei-me na Holanda, sob o nome de Srta. Dolores Amonti.

Lupin refletiu um instante e pronunciou pensativamente:

— Sim... sim... compreendo... Mas então Luís de Malreich não existe e o assassino de seu marido, o assassino de seu irmão e da sua irmã, não se chama assim... Seu nome...

Ela levantou-se rapidamente:

— Seu nome! Sim, ele se chama assim...

— Sim, é o seu nome, apesar de tudo... Luís de Malreich... *L* e *M*... Lembre-se. Ah! não procure... é um segredo terrível... E além disso, o que importa?... o culpado está preso... eu lhe digo... Ele defendeu-se quando o acusei cara a cara?

Podia ele defender-se sob esse nome ou sob outro nome qualquer? É ele... é ele... ele matou... atacou... o punhal de aço... Ah! Se pudéssemos dizer tudo!... Luís de Malreich... Se eu pudesse...

Ela se revolvia na espreguiçadeira, numa crise nervosa, e sua mão se crispara na de Lupin e ele a ouvia gaguejando entre palavras indistintas:

— Proteja-me... proteja-me... Talvez apenas você... Ah! Não me abandone... sou tão infeliz... Ah! Que tortura... que tortura... é o inferno.

Com sua mão livre afagou-lhe os cabelos e a testa com uma infinita doçura e sob essa carícia ela acalmou-se pouco a pouco.

Então olhou-a novamente e durante muito tempo, muito tempo, perguntou--se o que podia haver por trás daquela bela fronte, pura, que segredo devastava essa alma misteriosa. Ela também tinha medo. Mas de quem? Contra quem suplicava ela que a protegesse? Mais uma vez ficou obcecado pela imagem do homem de preto, desse Luís de Malreich, inimigo tenebroso e incompreensível de quem ele devia defender-se dos ataques, sem saber de onde vinham, nem mesmo se eles viriam.

Tanto fazia que estivesse na prisão dia e noite... de nada valia! Lupin não sabia bem que há pessoas para quem a prisão não existe e que se livravam sempre que desejassem? Luís de Malreich era um desses.

Sem dúvida havia alguém na prisão da Santé, na cela dos condenados à morte. Mas podia ser um cúmplice, outra vítima de Malreich... enquanto ele, Malreich, rondava o Castelo de Bruggen, se insinuava com a ajuda da escuridão, como um fantasma, penetrava no chalé do parque e, à noite, ameaçava com um punhal Lupin adormecido e paralisado.

E era Luís de Malreich que aterrorizava Dolores, que a cobria de ameaças, que a dominava por algum terrível segredo e a obrigação ao silêncio e à submissão.

E Lupin imaginava o plano do inimigo: atirar Dolores assustada e temerosa nos braços de Pierre Leduc, suprimir a ele, Lupin, e comandar em seu lugar, com o poder de grão-duque e os milhões de Dolores.

Hipótese provável, hipótese certa, que se adaptava aos acontecimentos e apresentava uma solução para todos os problemas.

— Todos? — objetava Lupin... — Sim... Mas então por que ele não me matou ontem à noite no chalé? Bastava querer, e ele não quis. Um gesto e eu estaria morto, e esse simples gesto ele não fez. Por quê?

Dolores abriu os olhos, viu-o a seu lado e sorriu, com um sorriso pálido.

— Deixe-me — disse ela.

Ele levantou-se hesitante. Deveria ir verificar se o inimigo estava atrás das cortinas ou escondido no armário?

Ela repetiu suavemente:

— Vá... eu vou dormir... Ele se foi.

Mas do lado de fora, parou sob as árvores que formavam um maciço escuro diante da fachada do castelo. Viu luz na antecâmara de Dolores. Depois essa luz se apagou passando para o quarto. Depois de algum tempo, desapareceu, findou-se.

Esperou. Se o inimigo estivesse lá sairia do castelo? Uma hora se passou... duas horas... Nenhum ruído.

— Nada feito — pensou Lupin. — Ou ele se escondeu em alguma parte do castelo... ou saiu por alguma porta que eu não possa ver daqui... A menos que, de minha parte, tudo isso não seja a mais absurda das fantasias...

Acendeu um cigarro e voltou ao chalé. Quando se aproximava, percebeu de longe uma sombra que parecia afastar-se. Não se mexeu, com medo de alarmá-lo. A sombra se moveu. À claridade da lua, pareceu-lhe reconhecer a silhueta negra de Malreich. Correu. A sombra fugiu e desapareceu.

— Vamos lá — murmurou ele — ficará para amanhã. E dessa vez...

* * *

Lupin entrou no quarto de Octave, o acordou e ordenou:

— Pegue o carro. Você estará em Paris às seis da manhã. Procure Jacques Doudeville e diga duas coisas: 1° quero notícias do condenado à morte; 2º que ele me envie, assim que abram os correios, uma mensagem nos seguintes termos...

Escreveu a mensagem num pedaço de papel e acrescentou:

— Assim que fizer o que mando, volte, mas por aqui, costeando os muros do parque. Vá, não quero que saibam da sua ausência.

Lupin foi para o quarto, acendeu a lanterna, e começou uma inspeção minuciosa.

— É isso mesmo — disse ele depois de um instante, — vieram aqui enquanto eu vigiava sob a janela. E se vieram, tenho dúvidas de suas intenções... Decididamente eu não me enganava... estamos chegando perto... Desta feita, posso ficar certo que vem por aí uma punhalada.

Prudentemente tomou uma coberta, escolheu um lugar do parque bem isolado, e dormiu ao ar livre.

Por volta de onze horas, Octave apresentou-se.

— Pois bem. Luís de Malreich continua na prisão?

— Continua. Doudeville passou diante de sua cela ontem à noite, na Santé. O carcereiro saía. Conversaram. Malreich continua o mesmo, ao que parece, mudo como um peixe. Ele espera.

— Espera o quê?

— A hora fatal, ora, o que podia ser! Na chefatura comenta-se que a execução será depois de amanhã.

— Tanto melhor! Tanto melhor! — disse Lupin, — O que fica bem claro é que ele não fugiu.

Desistiu de compreender e mesmo procurar a chave do enigma, de tal forma sentia que toda a verdade iria ser revelada. Teria apenas que preparar seu plano, a fim de que o inimigo caísse em sua armadilha.

— Ou que eu mesmo caia — pensou sorrindo.

Estava alegre, com o espírito aberto, e nunca uma batalha se apresentara a ele com possibilidades melhores.

Do castelo, um empregado trouxe a mensagem que mandara Doudeville enviar-lhe e que o carteiro entregara. Abriu-a a colocou-a no bolso.

Um pouco antes do meio-dia encontrou Pierre Leduc e disse diretamente:

— Procurava-o... há algumas coisas graves... É preciso que você responda francamente. Desde que está no castelo, viu outro homem além dos criados alemães que empreguei?

— Não.

— Pense bem. Não se trata de um visitante qualquer. Falo de um homem que procurasse se esconder, mas que você pudesse ter visto ou apenas suspeitado de sua presença por algum indício, uma impressão?

— Não... Será que o senhor?...

— Sim, alguém se esconde aqui... alguém ronda por aqui... Onde? Quem? Com que fim? Não sei... mas saberei. Tenho algumas desconfianças. Por seu lado, mantenha os olhos bem abertos... vigie... e sobretudo nem uma palavra à senhora Kesselbach... É inútil inquietá-la...

E se foi.

Pierre Leduc, atônito, transtornado, retomou o caminho do castelo. A caminho, no gramado, viu um papel azul. Apanhou-o. Era um telegrama, não amarrotado, como se houvesse sido atirado fora, mas dobrado cuidadosamente — visivelmente perdido.

Era dirigido ao Sr. Meauny, nome que Lupin usava em Bruggen. E dizia:

"Conhecemos toda a verdade. Revelações impossíveis por carta. Tomarei o trem esta noite. Encontro amanhã pela manhã, às oito horas, na estação de Bruggen."

— Perfeito! — murmurou para si mesmo Lupin que, escondido atrás de uma moita próxima, vigiava as ações de Pierre Leduc...

— Perfeito! Daqui a dois minutos esse jovem idiota terá mostrado o telegrama a Dolores e lhe transmitirá toda a sua apreensão. Falarão nisso todo o dia e o outro ouvirá, o outro saberá, já que ele sabe tudo, já que vive na sombra de Dolores e que Dolores é, em suas mãos, como uma presa fascinada... E essa noite agirá com receio do segredo que me será revelado...

Afastou-se cantarolando.

— Esta noite... esta noite... dançaremos... Esta noite... Que valsa, meus amigos! A valsa do sangue, com a canção do pequeno punhal niquelado...

Afinal, vamos rir.

Na porta do pavilhão chamou Octave, foi para seu quarto, atirou-se na cadeira e disse ao motorista:

— Sente-se nessa cadeira, Octave, e não durma. Seu patrão vai repousar. Vele por sua segurança, servidor fiel.

Dormiu um bom sono.

— Como Napoleão na manhã da batalha de Austerlitz — comentou ao despertar.

Era hora do jantar. Comeu fartamente, depois, fumando um cigarro, vistoriou suas armas, e trocou as balas de seus dois revólveres.

— A pólvora boa e a espada afiada — como diz meu companheiro o Kaiser... — Octave!

Octave atendeu.

— Vá jantar no castelo com os empregados. Anuncie que esta noite irá a Paris, de carro.

— Com o senhor chefe?

— Não, só. E logo que você termine a refeição, de fato partirá ostensivamente.

— Mas não irei a Paris?

— Não, você esperará fora do parque, na estrada, a um quilômetro de distância... até que eu chegue. Será demorado.

Fumou outro cigarro, passeou, passou diante do castelo, viu que as luzes nas acomodações de Dolores estavam acesas, depois retornou ao chalé. Lá pegou um livro. Era a Vida dos Homens Ilustres.

— Está faltando um e dos mais ilustres — disse ele. — Mas o futuro vem por aí, e justiça será feita, colocando as coisas em seus devidos lugares. E um dia ou outro terei o meu Plutarco.

Leu a vida de César e anotou algumas reflexões na margem. Às onze horas e meia subiu. Pela janela aberta, debruçou-se sobre a vasta noite, clara e sonora com seus pequenos ruídos indistintos. Lembranças vieram a seus lábios, lembranças de frases de amor que lera ou declamara, e disse diversas vezes o nome de Dolores, com um fervor de adolescente que apenas ao silêncio confia o nome de sua amada.

— Vamos — monologou, — preparemo-nos.

Deixou a janela entreaberta, afastou um móvel que atrapalhava a passagem, e guardou suas armas sob o travesseiro. Depois, calmamente, sem a menor emoção, deitou-se, completamente vestido, e soprou a vela.

E o medo começou. Foi direto, imediato. Assim que a obscuridade baixou sobre ele, o medo começou!

— Diabo! — exclamou.

Saltou da cama, pegou as armas e jogou-as no corredor.

— Minhas mãos, apenas minhas mãos! Nada vale mais do que minhas mãos!

Deitou-se. A sombra e o silêncio de novo. E novamente o medo, o medo sorrateiro, lancinante, envolvente... O relógio da cidade bateu doze pancadas... Lupin pensava no ser asqueroso que, do lado de fora, a cem metros, a cinquenta metros dele, se preparava, experimentando a ponta aguda do punhal...

— Ele que venha!... Que venha!... — murmurava ele, com um arrepio, — e os fantasmas desaparecerão... Uma hora, na cidade.

E os minutos, minutos intermináveis, minutos de febre e de angústia... Gotas de suor perolavam a raiz de seus cabelos e corriam por seu rosto e parecia ser um suor de sangue que o banhava por todo o corpo...

Duas horas...

E eis que, em algum lugar, bem perto, um ruído quase imperceptível se fez ouvir, um ruído de folhagens se movendo, que não era o ruído de folhagens se movendo com a brisa noturna...

Como Lupin previra, logo se acalmou totalmente. Toda sua natureza de grande aventureiro estremecia de alegria. Finalmente era a luta! Outro ruído, mais nítido, sob a janela, mas tão fraco ainda que precisava um ouvido treinado como o de Lupin para ouvi-lo. Passaram-se minutos, minutos assustadores... A escuridão era impenetrável. Nenhuma claridade das estrelas ou da lua abrandava.

E de repente, sem que houvesse visto nada, ele soube que o homem estava no quarto. E o homem caminhava para a cama. Andava como um fantasma, sem deslocar o ar do quarto e sem derrubar os objetos onde tocava.

Mas com todo seu instinto, todo seu controle de nervos, Lupin via os gestos do inimigo e adivinhava até mesmo a sucessão de suas ideias.

Ele não se mexia, apoiado na parede, quase de joelhos, pronto a saltar. Sentiu que a sombra passava a seu lado, apalpava os lençóis, para ver onde deveria atacar. Lupin ouvia sua respiração. Acreditou até mesmo ouvir as batidas de seu coração. E constatou, orgulhosamente, que seu próprio coração não batia tão apressado... enquanto o do outro... Oh! Sim, como ele podia ouvir esse coração desordenado, louco, que se chocava como o pêndulo de um relógio nas paredes do tórax! A mão do outro levantou-se...

Um segundo, dois segundos... Ele hesitaria? Iria uma vez mais poupar seu adversário? E Lupin falou naquele silêncio pesado:

— Ataque de uma vez! Ataque!

Um grito de raiva... O braço abaixou-se como uma mola. Depois um gemido. Esse braço Lupin pegara no ar, na altura do pulso. E, atirando-se para fora da cama, formidável, irresistível, segurou o homem pela garganta e derrubou-o sobre o leito.

Foi tudo. Não houve luta. E não podia mesmo haver luta. O homem estava deitado, pregado por duas estacas de aço, as mãos de Lupin. E não havia homem no mundo, por mais forte que fosse, que pudesse fugir a esse aperto.

E nenhuma palavra! Lupin não disse nenhuma das palavras com que se divertia normalmente, ajudado por sua verve zombeteira. Não tinha vontade de falar. O instante era muito solene.

Nenhuma alegria vã o emocionava, nenhuma exaltação vitoriosa. No fundo só tinha pressa de uma coisa, saber quem estava ali... Luís de Malreich, o condenado à morte? Um outro? Quem? Arriscando-se a estrangulá-lo, apertou-lhe a garganta um pouco mais e um pouco mais.

Sentiu que toda a força do inimigo, tudo que lhe restava de força, o abandonava. Os músculos do braço se distenderam, ficaram inertes. A mão abriu-se, soltando o punhal.

Então, com seus gestos livres, a vida do adversário suspensa no terrível anel de seus dedos, tirou a lanterna do bolso e aproximou-a da figura do homem. Bastava acendê-la, bastava querer e saberia. .

Durante um segundo saboreou seu poder. Uma onda de emoção invadiu-o. A visão de seu triunfo deslumbrou-o. Uma vez mais, e de forma soberba, heroicamente, ele era o mestre. Com um aperto seco acendeu a lanterna. O rosto do monstro apareceu. Lupin soltou um grito de horror.

— Dolores Kesselbach!

OS 3 ASSASSINATOS DE ARSÈNE LUPIN

Na mente de Lupin foi como a passagem de um tufão, um ciclone, onde as trovoadas estrondosas, os furacões, as rajadas dos elementos incontroláveis despencassem descontroladamente numa noite de caos.

Grandes raios rompiam a escuridão. Em meio à claridade fulgurante desses raios, Lupin, assustado, trêmulo, convulsionado pelo horror, olhava e procurava compreender.

Agarrado à garganta do inimigo, não se mexia, como se seus dedos endurecidos não pudessem afrouxar o aperto. Além disso, se bem ele soubesse agora, não tinha a impressão exata de que fosse Dolores. Era ainda o homem de negro, Luís de Malreich, o animal asqueroso das trevas; e esse animal ele o pegara e não o largaria.

Mas a verdade acabou firmando-se em seu espírito e sua consciência, e vencido, torturado de angústia, murmurou:

— Oh! Dolores... Dolores...

Vislumbrou logo uma desculpa: a loucura. Ela era louca. A irmã de Altenheim e Isilda, a filha dos últimos Malreich, a mãe demente, o pai alcoólatra, era ela também uma louca. Estranha louca, louca com toda a aparência de sanidade, mas no entanto louca, desequilibrada, doente, anormal, verdadeiramente monstruosa.

Entendeu agora a situação! Era a loucura do crime. Sob a obsessão de um fim para o qual caminhava automaticamente, ela matava, ávida de sangue, inconsciente e infernal.

Matava porque queria alguma coisa, matava para se defender, matava para esconder que matara. Mas ela matava também, sobretudo, por matar. O assassinato satisfazia-lhe apetites súbitos e irresistíveis. Em alguns segundos de sua vida, em certas circunstâncias, diante de alguém tornado seu adversário era preciso que seu braço atacasse.

E ela atacava, ébria de raiva, ferozmente, freneticamente.

Louca estranha, irresponsável por seus assassinatos e no entanto lúcida em sua loucura! Tão lógica em sua demência! Tão inteligente em seu absurdo! Que habilidade! Que perseverança! Que combinações ao mesmo tempo detestáveis e admiráveis! E Lupin, numa visão rápida, com uma prodigiosa acuidade no olhar, via a série de aventuras sangrentas e adivinhava os caminhos misteriosos que Dolores seguira.

Ele a via obcecada e possuída pelo projeto de seu marido, projeto que evidentemente ela só devia conhecer em parte. Ele a via procurando esse Pierre Leduc que seu marido buscava, e procurando-o para casar-se com ele e para retornar como rainha a esse pequeno reinado de Veldenz de onde seus antepassados foram vergonhosamente expulsos.

Via-a no Palace-Hotel, no quarto de seu irmão Altenheim, enquanto a supunham em Monte-Carlo. Ele a via durante vários dias vigiando seu marido, deslizando pelas paredes, envolta nas trevas, indistinta e despercebida em seu disfarce de sombra.

Uma noite encontrou o Sr. Kesselbach e atacou-o.

Pela manhã, quando ia ser denunciada pelo empregado do quarto, atacou de novo. E uma hora mais tarde, sob a ameaça de ser denunciada por Chapman, levou-o ao quarto do irmão e matou-o. Tudo isso sem piedade, selvagemente, com uma habilidade diabólica.

Com a mesma habilidade ela se comunicava pelo telefone com as duas empregadas, Gertrude e Suzanne, ambas acabadas de chegar de Monte-Carlo, onde uma delas representou o papel de sua patroa. E Dolores, retomando seus vestuários femininos, deixando de lado a peruca loura que a tornava irreconhecível, descia ao térreo, reencontrava Gertrude no momento em que esta chegava ao Hotel, e fingia chegar, ela também, ignorando ainda a desgraça que a aguardava.

Artista incomparável, ela representava a esposa cuja existência ruíra. Todos ficavam penalizados. Choravam por sua causa. Quem poderia suspeitar?

E então começara a guerra contra Lupin, essa guerra bárbara, essa guerra extraordinária que sustentou, um de cada vez, contra o Sr. Lenormand e contra o príncipe Sernine, durante o dia em sua espreguiçadeira, doente e fraca, mas à noite de pé, correndo pelas estradas, infatigável e terrível.

E eram as combinações infernais, Gertrude e Suzanne, cúmplices apavoradas e dominadas, ambas servindo de emissárias, talvez se disfarçando como ela, como no dia em que o velho Steinweg foi raptado pelo barão Altenheim em pleno Palácio da Justiça.

E era a série de crimes. Era Gourel afogado. Era Altenheim, seu irmão, apunhalado. Oh! a luta implacável nos subterrâneos da Vila das Glicínias, o trabalho invisível do monstro na escuridão, como tudo isso agora reaparecia claramente! Fora ela quem o desmascarara como príncipe, quem o denunciara, ela quem o atirara na prisão, ela quem destruíra todos os seus planos, gastando milhões para ganhar a batalha.

E depois os eventos se desencadearam. Suzanne e Gertrude desapareceram, mortas, sem dúvida! Steinweg, assassinado! Isilda, a irmã, assassinada!

— Oh! a ignomínia, o horror! — balbuciou Lupin, num sobressalto de repugnância e ódio.

Detestava esta abominável criatura. Queria destruí-la, esmagá-la. E era uma cena espantosa estes dois seres, agarrados um ao outro, imóveis, aos primeiros raios da aurora que começava a misturar-se com as sombras da noite.

— Dolores... Dolores... — murmurou ele com desespero. Deu um passo atrás, trêmulo de horror, espantado. Como? Que havia? O que seria essa impressão de frio que gelava suas mãos?

— Octave! Octave! — gritou sem se lembrar da ausência do motorista.

Socorro! Precisava de socorro! Alguém que o ajudasse, o assistisse. Tremia de medo. Oh! esse frio de morte que sentira. Seria possível?... Então durante esses momentos trágicos estivera com os dedos crispados...

Violentamente, obrigou-se a olhá-la. Dolores não se mexia mais. Ajoelhou-se e puxou-a de encontro a si. Estava morta.

Ficou durante um certo tempo num embrutecimento tão grande que sua dor parecia se dissolver. Não sofria mais. Não tinha mais nem furor, nem ódio, nenhum sentimento... nada além de sentir-se estupidificado, a sensação de um homem que recebe um golpe de clava e não sabe se ainda vive, se pensa, ou se é apenas vítima de um pesadelo.

Parecia-lhe, entretanto, que algo de justo acabara de acontecer e não pensou uma segunda vez que fora ele quem matara. Era algo fora de sua vontade, de seu controle. Era o destino, o inflexível destino que realizara o trabalho, suprimindo um animal nocivo.

Do lado de fora pássaros cantavam. A vida se animava sob as velhas árvores que a primavera estava quase a florir. E Lupin, despertando de seu torpor, sentia pouco a pouco surgir dentro de si uma indefinível e absurda compaixão pela miserável mulher — certamente odiosa, abjeta e vinte vezes criminosa, mas tão jovem ainda e que não existia mais.

Pensou nas torturas pelas quais ela devia passar em seus momentos de lucidez, quando a razão lhe voltava. A inominável louca tinha então uma visão sinistra dos seus atos.

— Proteja-me... eu sou infeliz! — suplicava ela.

Era contra ela mesma que pedia que a protegessem, contra os seus instintos de fera, contra o monstro que morava dentro dela e que a forçava a matar, a matar sempre.

— Sempre? — monologou Lupin.

Lembrou-se da noite da antevéspera quando, de pé, acima dele, o punhal levantado sobre o inimigo que há meses a perseguia, sobre o inimigo infatigável que a acusava a cada crime, recordava que naquela noite ela não matara.

No entanto, era fácil: o inimigo jazia inerte e impotente. Apenas um golpe, e a luta estaria terminada. Não, ela não matara, obedecendo, ela também, a sentimentos mais fortes do que sua crueldade, a sentimentos obscuros de simpatia e admiração por este que a dominara tantas vezes.

Não, ela não matara desta vez. E eis que, numa reviravolta verdadeiramente pavorosa do destino, fora ele que matara.

— Eu matei — pensou tremendo dos pés à cabeça, — minhas mãos suprimiram um ser vivo, e esse ser era Dolores!... Dolores... Dolores...

Não parava de repetir seu nome e não parava de olhá-la, triste coisa inanimada, agora inofensiva, um pobre farrapo de carne, sem mais consciência do que um monte de folhas ou um pequeno pássaro degolado à beira da estrada.

Oh! Como poderia deixar de estremecer de compaixão, uma vez que, diante da outra, ele era o assassino e ela não passava de vítima? Dolores...

— Dolores... Dolores...

O dia surpreendeu-o sentado ao lado da morta, lembrando-se, sonhando, enquanto seus lábios articulavam de quando em quando as sílabas... Dolores... Dolores...

No entanto era preciso agir, e na confusão de suas ideias não sabia mais como deveria agir nem mesmo por onde começar.

— Fechemos seus olhos antes de mais nada — murmurou ele.

Abertos, cheios de nada, eles tinham ainda, os belos olhos dourados, essa doçura melancólica que lhe dava tanta graça. Seria possível que estes fossem os olhos de um monstro? Contra a vontade, e mesmo diante da realidade implacável, Lupin não podia ainda fundir num só personagem estes dois seres, cujas imagens eram tão distintas no fundo de seu pensamento.

Rapidamente inclinou-se sobre ela, beijou as pálpebras sedosas, e recobriu com um véu a pobre figura convulsionada.

Pareceu-lhe então que Dolores se afastava cedendo lugar ao homem de negro, que desta feita estava bem ali, a seu lado, com suas roupas escuras e seu disfarce de assassino.

Ousou tocá-lo e apalpou suas roupas. Num bolso interno encontrou duas carteiras. Abriu uma delas. Encontrou primeiro uma carta assinada por Steinweg, o velho alemão. Continha o seguinte:

"Se eu morrer antes de poder revelar o terrível segredo, saibam o seguinte: o assassino de meu amigo Kesselbach é sua esposa, cujo verdadeiro nome é Dolores de Malreich, irmã de Altenheim e irmã de Isilda.

As iniciais L. *e* M. *referem-se a ela. Nunca, na intimidade, Kesselbach chamava sua mulher de Dolores, que é um nome que quer dizer dor, pesar, mas sim de Loetitia, que quer dizer alegria.* L. *e* M. *— Loetitia de Malreich —, tais são as iniciais inscritas em todos os presentes que lhe dava, como por exemplo a cigarreira encontrada no Palace-Hotel que pertencia à senhora Kesselbach. Ela contraiu, em viagem, o hábito de fumar.*

Loetitia. Ela, com efeito, foi durante quatro anos sua alegria constante, quatro anos de mentiras e de hipocrisias, enquanto preparava a morte daquele que a queria com tanta bondade e confiança.

Talvez eu devesse ter falado de uma vez. Não tive coragem, em lembrança do meu velho amigo Kesselbach, de quem ela trazia o nome.

E além disso, tive medo... O dia em que a desmascarei no Palácio da Justiça, li em seus olhos minha sentença de morte.

Minha fraqueza me salvará dela?"

— Ele também — pensou Lupin —, ele também foi morto por ela! E caramba, ele sabia muita coisa!... as iniciais... esse nome de Loetitia... o hábito secreto de fumar...

Lembrou-se da noite passada, o cheiro de fumo no quarto... Continuou o exame da carteira.

Havia trechos de cartas em escrita cifrada, entregues sem dúvida a Dolores por seus cúmplices, quando de seus tenebrosos encontros. Havia ainda endereços em pedaços de papel, endereços de costureiras, mas também endereços de pocilgas e hotéis suspeitos... E nomes também...vinte, trinta nomes, nomes bizarros, Hector, o Carniceiro, Armand de Grenelle, o Doente...

Uma fotografia chamou a atenção de Lupin. Olhou-a. E de repente, como impelido por uma mola, largando a carteira, saiu do quarto, do pavilhão e correu pelo parque. Reconhecera no retrato o Luís de Malreich prisioneiro da Santé.

E somente então, somente neste preciso momento, lembrou-se: a execução deveria ser amanhã. E como o homem de negro, como o assassino, fosse Dolores, Luís de Malreich se chamava realmente Leon Massier e era inocente.

Inocente? Mas as provas encontradas em sua casa, as cartas do imperador e tudo, tudo que o acusava, todas as provas incontestáveis? Lupin parou um segundo com a cabeça em fogo.

— Oh! — exclamou — eu enlouqueço, eu também. Vejamos, no entanto é preciso agir... é amanhã que o executarão... amanhã... amanhã ao raiar do dia...

Tirou o relógio.

— Dez horas... Quanto tempo precisarei para chegar a Paris? Vejamos... aí estarei logo... sim, logo, é preciso. E desde esta noite tomarei as medidas para impedir... Mas que medidas? Como provar a inocência?... Como impedir a execução? Eh! que importa... Verei isso quando chegar lá. Pois não me chamo Lupin?... Vamos, de qualquer forma...

Voltou ao castelo correndo e perguntou:

— Pierre! Viram o Sr. Pierre Leduc? Ah! ei-lo aqui... Escute...

Levou-o para um canto e disse numa voz seca, imperiosa:

— Escute, Dolores não está mais aqui... Sim, uma viagem urgente... ela pôs-se a caminho esta noite em meu automóvel... Eu também partirei... Cale-se! Nem uma palavra... um segundo perdido será irreparável. Você, você vai despedir os empregados, sem explicações. Eis o dinheiro. Daqui a uma hora é preciso que o castelo esteja vazio. E que ninguém entre antes da minha volta!... Nem você, entende... eu o proíbo de entrar... explicarei melhor... motivos muito sérios. Você levará a chave... e esperará na cidade...

Novamente partiu apressado. Dez minutos mais tarde encontrava Octave. Pulou no carro.

— A Paris — disse ele.

* * *

A viagem foi uma verdadeira corrida contra a morte.

Lupin, achando que Octave não dirigia com muita rapidez, tomou o volante, e foi uma corrida desordenada, vertiginosa. Nas estradas, atravessando cidades, nas ruas populares dessas cidades, andavam a cem quilômetros por hora. Pessoas gritavam de raiva; mas o bólide já estava longe... já desaparecera... — Chefe — balbuciava Octave pálido —, vamos bater e ficar por aqui.

— Talvez você fique, o automóvel também, mas eu chegarei — dizia Lupin.

Parecia que não era o carro que o transportava e sim ele que transportava o carro, ele vencia a distância por suas próprias forças, por sua própria vontade. Portanto, que milagre poderia ocorrer para que não chegasse a tempo, se sua força era invencível e sua vontade não tinha limites? — Chegarei, porque é preciso que eu chegue — repetia.

Pensava no homem que morreria se não chegasse a tempo de salvá-lo, no misterioso Luís de Malreich, tão desconcertante no seu silêncio obstinado e seu rosto fechado. E no tumulto da estrada, cujos ramos de árvores faziam um ruído de furiosas ondas pelo deslocamento de ar, entre a confusão de suas ideias, assim mesmo Lupin procurava elaborar uma hipótese. E a hipótese se configurava pouco a pouco lógica, inverossímil, porém certa, agora que conhecia a horrorosa verdade sobre Dolores e que entrevia todos os recursos e todos os desígnios odiosos desse espírito doente.

Sim, foi ela quem preparou contra Malreich a mais horrível trama. Que desejava ela? Casar com Pierre Leduc que ela conquistou e tornar-se a soberana do pequeno reinado de onde fora banida. Esse objetivo estava bem acessível, ao alcance da mão. Um único obstáculo: eu, que ela encontrava após cada crime, de quem ela temia a clarividência, eu que não desistiria antes de descobrir o culpado e encontrar as cartas roubadas do imperador...

Pois bem, já que era preciso um culpado, o culpado seria esse Luís de Malreich, ou melhor, Leon Massier. Quem era Leon Massier? Ela o teria conhecido antes do seu casamento? Ela o teria amado? É possível, mas sem dúvida nunca se saberá com certeza. O que é certo é que ela teve sua atenção despertada pela semelhança de talhe e porte que ela podia conseguir com Leon Massier, vestindo-se como ele com roupas negras, e cobrindo-se com uma peruca loura. Teria observado a vida bizarra desse homem solitário, suas saídas noturnas, sua maneira de andar na rua e de despistar aqueles que podiam segui-lo. Foi devido a essas observações e na previsão de uma eventual possibilidade que aconselhara o Sr. Kesselbach a rasurar o registro de estado civil com o nome de Dolores e colocar em seu lugar o nome Luís, a fim de que as iniciais fossem as mesmas de Leon Massier.

Chegado o momento de agir, eis que ela traçou seu plano e executou-o. Leon Massier mora na rua Delaizement? Ela ordena a seus cúmplices que se estabeleçam numa rua paralela. E é ela mesma quem me indica o endereço de maître d'hôtel Dominique e me põe na pista dos sete bandidos, sabendo perfeitamente que, uma vez que eu o siga, irei até o fim, ou seja, além dos sete bandidos ao seu chefe, o indivíduo que os vigia e dirige, até o homem de negro, até Leon Massier, até Luís de Malreich.

— Realmente chego aos sete bandidos. E então o que se passará? Ou eu serei vencido ou nos destruiremos mutuamente como ela devia esperar na noite da rua des Vignes. Em ambos os casos, Dolores se veria livre de mim.

— Mas aconteceu o seguinte: fui eu quem capturou os bandidos. Dolores fugiu da rua des Vignes. Encontrei-a na cocheira do Antiquário. Ela me leva a Leon Massier, quer dizer, a Luís de Malreich. Descubro a seu lado as cartas do imperador que ela mesma colocou ali, entrego-o à justiça, denuncio a passagem secreta preparada por ela mesma, e apresento documentos falsificados por ela, provando que Leon Massier roubou o estado civil de Leon Massier e se chama, realmente, Luís de Malreich.

E Luís de Malreich morrerá. Enquanto Dolores de Malreich, triunfante, finalmente ao abrigo de qualquer suspeita, uma vez que o culpado já foi descoberto, livre do seu passado de infâmias e de crimes, seu marido morto, seu irmão morto, sua irmã morta, suas duas empregadas mortas, Steinweg morto, salva por mim de seus cúmplices, que entrego devidamente amarrados nas mãos de Weber; libertada de si mesma por mim, que faço subir ao cadafalso o inocente que ela substitui a si mesma, Dolores vitoriosa, milionária, amada por Pierre Leduc, Dolores será rainha.

— Ah! — gritou Lupin fora de si — esse homem não morrerá. Juro pela minha honra, ele não morrerá.

— Cuidado, chefe — disse Octave assustado —, estamos chegando... São os subúrbios... os arrabaldes...

— Que quer que eu faça?

— Mas nós vamos virar... Além disso o calçamento está escorregadio... derrapamos...

— Tanto pior.

— Cuidado... Lá adiante...

— O quê?

— Um bonde, na curva...

— Ele que pare!

— Mais devagar, chefe.

— Nunca!

— Mas estamos perdidos...

— Passaremos.

— Não passaremos.

— Ah! Meu Deus...

Um estrondo... gritos... O carro se enganchou no bonde, depois foi atirado contra um tabique, demoliu dez metros de tábuas e finalmente foi se chocar contra o ângulo de um talude.

— Motorista, está livre?

Era Lupin, estendido no chão, que chamava um táxi. Levantou-se, viu o carro quebrado, pessoas que cercavam Octave e saltou no carro de aluguel.

— Ao Ministério do Interior, Praça Beauvau. Vinte francos de gorjeta.

Instalando-se no fundo do carro, voltou a murmurar a si mesmo:

— Ah! não, ele não morrerá! Não, mil vezes não, não terei este peso em minha consciência! Já é bastante ter servido de joguete para essa mulher e ter caído no laço como um colegial... Alto lá! Não haverá mais enganos! Fiz com que prendessem esse infeliz... Fiz com que fosse condenado à morte... praticamente levei-o ao cadafalso... Mas ele não subirá... Isso não! Se subir só me restará meter uma bala na cabeça.

Aproximavam-se da barreira. Debruçou-se:

— Vinte francos a mais, motorista, se não parar.

E gritou diante da casinhola de cobrança da taxa:

— Serviço da Sûreté!

Passaram.

— Mas não diminua a marcha, caramba! — urrou Lupin.

— Mais rápido!... Ainda mais rápido! Tem receio de atropelar alguma velha? Pois pode atropelá-las à vontade. Pagarei todas as despesas com seu tratamento.

Em alguns minutos chegavam ao Ministério, na Praça Beauvau. Lupin passou correndo pelo pátio e subiu os degraus da escada de honra. A antecâmara estava cheia de gente. Escreveu numa folha de papel: "Príncipe Sernine" e, levando um contínuo para um canto, disse-lhe:

— Sou eu, Lupin. Você me reconhece, não? Fui eu que lhe arranjei este emprego, um bom emprego, hein? Apenas você tem que me introduzir imediatamente. Vá, leve meu nome. Só lhe peço isso: Valenglay me espera...

Dez segundos depois o próprio Valenglay punha a cabeça fora da porta de sua sala e dizia:

— Faça entrar o "príncipe".

Lupin precipitou-se, fechou vivamente a porta atrás de si e cortando a palavra ao presidente:

— Nada de frases, não pode me prender... Seria perder seu tempo e comprometer o imperador... Não... não se trata disso... Eis o seguinte: Luís de Malreich é inocente. Descobri o verdadeiro culpado... É Dolores Kesselbach. Está morta. Seu cadáver está lá. Tenho provas irrefutáveis. Não há dúvida possível. E ela...

Interrompeu-se. Valenglay parecia não compreender.

— Vejamos, senhor presidente, é preciso salvar Malreich... Pense bem... um erro judicial... a cabeça de um inocente que rola... Dê suas ordens... faça alguma coisa... que sei eu? Mas rápido, que o tempo é curto.

Valenglay olhava-o atentamente. Depois aproximou-se de uma mesa, pegou um jornal e estendeu-o, marcando com a ponta do dedo uma notícia:

Lupin olhou para o título e leu:

"Execução do monstro. Esta manhã Luís de Malreich sofreu o último suplício..."

Não terminou a leitura. Massacrado, angustiado, atirou-se a uma cadeira com um gemido de desespero. Quanto tempo ficou assim? Quando se viu fora do Ministério, não soube dizer nada. Lembrava-se apenas de um grande silêncio, depois revia Valenglay debruçado, aspergindo água fria em seu rosto e sobretudo a voz abafada do presidente cochichando:

— Escute... não é preciso dizer nada a respeito disso, não é? Inocente, é possível, não digo o contrário... Mas que bem farão tais revelações? Um escândalo? Um erro judicial pode ter graves consequências. Valerá a pena? Uma reabilitação? Para que fazer? Ele nem mesmo foi condenado com seu nome. É o nome de Malreich que foi lançado à execração pública... exatamente como o nome da culpada... Então?

E empurrando pouco a pouco Lupin em direção da porta, disse-lhe:

— Vamos... Volte para lá... Faça desaparecer o cadáver... E que ele não deixe traços, hein? O menor traço de toda esta história... Conto com você, não é?

E Lupin voltou. Voltou como um autômato, porque ordenaram-lhe agir assim, e não tinha mais vontade própria. Durante horas esperou na estação. Maquinalmente comeu, comprou uma passagem e instalou-se num compartimento.

Dormiu mal, a cabeça em fogo, com pesadelos, acordando a intervalos, confuso, quando procurava compreender por que Massier não se defendera.

Era um louco... certamente... um meio louco... Ela o conheceu antigamente... envenenou-lhe a vida... ela o destruiu... Assim, pouco importava morrer... Para que defender-se? A explicação não satisfazia inteiramente e se prometia, um dia ou outro, esclarecer esse enigma e saber o papel exato que Massier representara na existência de Dolores. Mas agora, que importava! Um único fato se destacava nitidamente: a loucura de Massier e ele repetia obstinadamente:

— Era um louco... esse Massier seguramente era um louco...

Aliás todos os Massier, uma família de loucos... Delirava, misturando os nomes, o cérebro cansado. Mas, descendo na estação de Bruggen teve, ao sentir o ar fresco da manhã, um sobressalto na consciência. Bruscamente as coisas tomavam outro aspecto. Exclamou:

— Depois de tudo, tanto pior! Não há por que protestar... Não sou responsável por coisa alguma... ele praticamente se suicidou... É apenas um comparsa na aventura... Ele morre... Lamento... E daí?

A necessidade de agir novamente o envolvia. E se bem que ferido, torturado por esse crime de que se sabia, apesar de tudo, autor, olhava no entanto para o futuro.

— São acidentes da guerra. Não pensemos mais nisso. Nada está perdido. Pelo contrário! Dolores era o empecilho, pois Pierre Leduc a amava. Dolores morreu. Portanto, Pierre Leduc me pertence. E casará com Geneviève, como decidi! E reinará! E eu serei seu mestre! E a Europa, a Europa que é minha!

Exaltava-se, tranquilizado, cheio de uma súbita confiança, febril, gesticulando na estrada, rodando uma espada imaginária, a espada do chefe que quer, que triunfa.

— Lupin, você será rei! Você será rei, Arsène Lupin!

Na cidade de Bruggen informou-se e soube que Pierre Leduc almoçara na véspera na hospedaria. Depois não o viram mais.

— Como — disse Lupin — não dormiu aqui?

— Não.

— Mas para onde foi depois do almoço?

— Foi pelo caminho do castelo.

Lupin se foi, bastante espantado. Entretanto, ordenara ao jovem que fechasse as portas e não voltasse depois da saída dos empregados.

Teve logo a prova de que Pierre desobedecera: a grade estava aberta. Entrou, percorreu o castelo, chamou. Nenhuma resposta.

Subitamente lembrou-se do chalé. Quem sabe? Pierre Leduc, na ausência daquela que amava e levado por uma intuição, talvez tivesse se dirigido para aquele lado. E o cadáver de Dolores lá estava! Muito inquieto, Lupin correu. À primeira vista, parecia não haver ninguém no chalé.

— Pierre! Pierre! — chamou.

Não ouvindo nenhum ruído entrou no vestíbulo e no quarto que ocupara.

Parou na soleira, pregado ao chão. Acima do cadáver de Dolores, Pierre Leduc estava pendurado, uma corda no pescoço, morto.

* * *

Impassível, Lupin contraiu-se dos pés à cabeça. Não queria ceder a um gesto de desespero. Não queria pronunciar uma só palavra violenta. Depois dos golpes atrozes que o destino lhe desferira, depois dos crimes e a morte de Dolores, depois da execução de Massier, depois de tantas perturbações e catástrofes, sentia necessidade absoluta de conservar todo o domínio sobre si mesmo. De outra forma, perderia a razão.

— Idiota — disse ele mostrando o punho a Pierre Leduc... — Triplo idiota, não podia esperar? Antes de dez anos nós teríamos retomado a Alsácia-Lorena.

Para fugir um pouco àquilo procurou palavras para dizer, atitudes a tomar, mas suas ideias não assentavam e seu cérebro parecia à beira de explodir.

— Ah! Não, não — exclamava ele —, nada disso! Lupin louco, ele também! Ah, não, meu pequeno! Mete uma bala na cabeça se quiser, pois no fundo não via outra saída. Mas Lupin gagá, isso não! Andava batendo com os pés e levantando os joelhos bem alto, marchando como fazem alguns atores para simular a loucura. E dizia:

— Pensemos, meu velho, vamos colocar a cabeça para funcionar, os deuses o contemplam. O nariz para cima! E o estômago, caramba! Ora o estômago! Tudo desaba a sua volta. É o desastre, não há mais nada a fazer, um reinado por água abaixo, perco a Europa, o universo se evapora?... Pois bem, e depois? Zombe então! Zombe mais ainda! Mais forte do que isso... Ainda bem...

Abaixou-se com uma risada de escárnio, tocou o rosto da morta, vacilou um momento e caiu desacordado. Depois de uma hora levantou-se. A crise passara e, dono de si, com os nervos descansados, sério e taciturno, examinou a situação.

Sentia que o momento das grandes decisões chegara. Sua existência fora destruída em alguns dias, sob o impacto de catástrofes imprevistas, umas em seguida às outras, no exato momento em que acreditava certa sua vitória. Que iria fazer? Recomeçar? Reconstruir? Não tinha mais coragem. Então? Durante toda a manhã andou pelo parque, passeio trágico onde a situação se lhe afigurou em seus menores detalhes e onde, pouco a pouco, a ideia da morte se impunha a ele com um rigor inflexível.

Mas quer ele se matasse ou não, antes de mais nada havia uma série de providências a tomar. E tais providências, seu cérebro, subitamente lúcido, via claramente.

O relógio da igreja bateu o Angelus do meio-dia.

— Mãos à obra — disse ele —, e é para já.

Voltou bem calmo ao chalé, entrou em seu quarto, subiu num banco e cortou a corda que sustinha Pierre Leduc.

— Pobre diabo — disse ele —, você teria que acabar assim mesmo, com uma gravata de cânhamo no pescoço. Ai, ai! Você não foi feito para as grandezas... Eu deveria ter logo visto isso e não ter ligado minha sorte a um fazedor de rimas.

Vasculhou as roupas do rapaz e não encontrou nada. Mas lembrando a segunda carteira de Dolores, apanhou-a no bolso onde a guardara. Teve um gesto de surpresa. A carteira continha um pacote de cartas cujo aspecto lhe era familiar e onde reconheceu logo diversas escrituras.

— As cartas do imperador! — murmurou ele. — As cartas do velho chanceler!... todo o pacote que apanhara na casa de Leon Massier e que entreguei ao Conde Waldemar... Como pode ser? Será que ela retomou-as do cretino Waldemar? E de repente batendo na testa:

— Não, o cretino sou eu. Estas são as cartas verdadeiras! Ela guardou-as para fazer chantagem com o imperador no momento exato. E as outras, as que entreguei, são falsas, copiadas por ela, evidentemente, ou por um cúmplice e colocadas ao meu alcance... E caí no conto como um trouxa. Caramba, quando as mulheres se envolvem...

Na carteira havia ainda apenas uma fotografia. Olhou-a. Era a sua.

— Duas fotografias... Massier e eu... os que ela mais amou, sem dúvida... Porque ela me amava... Amor estranho, feito de admiração pelo aventureiro que sou, pelo homem que sozinho derrotara os sete bandidos, quando lhe disse meu grande sonho de poder! Aí, verdadeiramente, ela teve vontade de sacrificar Pierre Leduc e submeter seu sonho ao meu. Se não houvesse ocorrido o incidente do espelho, estaria subjugada. Mas teve medo. Eu chegava perto da verdade. Para sua salvação, era preciso a minha morte, e ela se decidiu.

Várias vezes repetiu pensativamente:

— E, no entanto, ela me amava... Sim, ela me amava como outras me amaram, outras a quem eu também trouxe a desgraça... Ai de mim! Todas essas que me amaram morreram... E esta morreu também, estrangulada por mim... Por que viver? Com a voz baixa repetiu:

— Por que viver? Não seria melhor ir ao encontro de todas as que me amaram?... e que morreram por seu amor. Sônia, Raymonde, Clotilde Destange, Miss Clarke?...

Estendeu os dois cadáveres, um ao lado do outro, recobriu-os com a coberta, sentou-se diante de uma mesa e escreveu:

"Triunfei de todo: e fui vencido. Chego ao fim que persigo e caio. O destino é mais forte do que eu... E aquela que eu amava não existe mais. Morro também.
Arsène Lupin."

Fechou a carta e introduziu-a num frasco que atirou pela janela, sobre a terra de uma platibanda. A seguir juntou uma grande quantidade de papéis velhos, jornais, e pedaços de pau que foi buscar na cozinha.

Por cima, derramou gasolina. Depois acendeu uma vela que jogou sobre os pedaços de pau. Imediatamente acendeu-se uma chama, outras foram surgindo, rápidas, envolventes, ardentes, crepitantes.

— A caminho — disse Lupin —, o chalé é de madeira e vai queimar como um fósforo. E quando chegarem da cidade, o tempo perdido forçando a grade, correndo até o fim do parque... será muito tarde! Encontrarão as cinzas, dois cadáveres calcinados e, perto dali, meu bilhete de despedida... Adeus, Lupin! Boa gente, enterrem-me sem cerimônias... Um enterro de pobre... Sem flores, nem coroas... Uma humilde cruz e um epitáfio:

"Aqui Jaz Arsène Lupin — Aventureiro"

Chegou ao muro externo, escalou-o e, voltando-se, pôde ver as chamas que subiam para o céu. Regressou a pé a Paris, errante, com o desespero no coração, curvado pelo destino.

Os aldeões espantavam-se ao ver esse viajante que pagava suas refeições de trinta centavos com polpudas cédulas. Três ladrões de estrada o atacaram uma noite, em plena floresta. Com a ajuda de um bastão, deixou-os quase mortos de tanto apanhar.

Passou oito dias num albergue. Não sabia aonde ir. Que fazer? De quem se aproximar? A vida o cansava. Não queria mais viver... não queria mais viver...

— É você!

A Sra. Ernemont, na pequena peça da Vila de Garches, estava de pé, trêmula, assustada, os olhos esbugalhados para a aparição que se levantara em sua frente.

Lupin!... Lupin estava ali!

— Você! — disse ela. — Você!... Mas os jornais contaram...

Ele sorriu tristemente.

— Sei, estou morto.

— Então... então... — disse ela ingenuamente.

— Você quer dizer que, se estou morto, nada tenho a fazer aqui. Pode acreditar que tenho razões muito sérias, Victoire.

— Como está mudado! — disse ela penalizada.

— Algumas pequenas decepções... Mas está terminado. Escute, Geneviève está aí? Ela adiantou-se em sua direção, subitamente furiosa.

— Você vai deixá-la de lado, hein? Ah! Mas desta feita não a deixarei. Ela voltou fatigada, pálida, inquieta e somente agora está se recobrando, encontrando suas belas cores de outrora. Você a deixará em paz, eu juro.

Ele apoiou fortemente a mão no ombro da velha mulher.

— Eu quero... entende... quero falar-lhe.

— Não.

— Eu lhe falarei.

— Não.

Empurrou-a. Ela se firmou, os braços cruzados.

— Terá que passar sobre o meu corpo. A felicidade da pequena é aqui e não em outra parte... Com todas as suas ideias de dinheiro e nobreza, você a tornará infeliz. E isso não. Quem é o seu Pierre Leduc? Veldenz? Geneviève, duquesa! Você está louco! Não é essa sua vida. No fundo, você só pensou em si mesmo. É o seu poder, a sua fortuna que você quer. Com a pequena você pouco se importa. Pelo menos perguntou se ela amava o fanfarrão do seu grão-duque? Não, você procurou o seu caminho, eis tudo, sem pensar que podia ferir Geneviève e torná-la infeliz para o resto da vida. Pois bem, eu não quero. O que ela precisa é de uma existência simples, honesta, e esta você não a pode dar.

— Então, o que vem fazer?

Ele pareceu abalado mas, mesmo assim, em voz baixa, com uma grande tristeza, murmurou:

— É impossível que eu não a veja nunca mais. É impossível que eu não lhe fale...

— Ela pensa que você está morto.

— Isto é o que eu não quero! Quero que saiba a verdade. É uma tortura saber que ela pensa em mim como alguém que não mais existe. Traga-a, Victoire.

Falava com uma voz tão doce, tão desolada, que ela ficou enternecida e pediu-lhe:

— Escute... antes de tudo quero saber. Isso dependerá do que você tenha a dizer-lhe... Seja franco, pequeno... Que quer de Geneviève?

Ele disse seriamente:

— Quero dizer-lhe o seguinte: "Geneviève, prometi a sua mãe dar a você fortuna, poder, uma vida de contos de fadas. Nesse dia, atingindo minha meta, eu teria pedido um pequeno lugar, não muito longe de você. Feliz e rica, você teria esquecido, sim, tenho certeza, teria esquecido o que sou, ou melhor, o que fui. Por desgraça o destino foi mais forte do que eu. Não lhe trago nem a fortuna nem o poder. Não lhe trago nada. Pelo contrário, sou eu que tenho necessidade de você. Geneviève, você poderia ajudar-me?"

— A quê? — disse a velha mulher ansiosa.

— A viver...

— Oh! — disse ela —, você está aí, meu pobre pequeno...

— Sim — respondeu ele simplesmente, sem dor aparente — sim, estou aqui. Três seres morreram, que eu matei, matei com minhas mãos. O peso da lembrança, do remorso, é muito grande. Estou só. Pela primeira vez em minha existência preciso de socorro. Tenho o direito de pedir a Geneviève que me socorra. É seu dever me ajudar... Se não?... Tudo está acabado.

A velha mulher calou-se, pálida e trêmula. Reencontrava toda sua afeição por aquele que outrora alimentara como próprio filho, e que ficara sendo, apesar de tudo, "seu pequeno".

Ela perguntou:

— Que fará com ela?

— Nós viajaremos... Com você, se quiser nos acompanhar...

— Mas você esquece... você esquece...

— O quê?

— Seu passado...

— Ela esquecerá também. Compreenderá que não sou mais aquele e não quero mais ser.

— Então verdadeiramente o que você deseja é que ela partilhe sua vida, a vida de Lupin?

— A vida do homem que eu serei, do homem que trabalhará para que ela seja feliz, para que ela case segundo sua escolha. Nós nos instalaremos em qualquer parte do mundo. Lutaremos juntos, um ao lado do outro. E você sabe do que sou capaz...

Ela repetiu lentamente, os olhos fixos nos seus:

— Então verdadeiramente quer que ela partilhe a vida com Lupin?

Ele hesitou um segundo, apenas um segundo, e afirmou claramente:

— Sim, sim, quero o meu direito.

— Você quer que ela abandone todas as crianças às quais ela devotou toda essa existência de trabalho, que ela ama e que lhe é tão necessário?

— Quero, é seu dever.

A velha abriu a janela e disse:

— Neste caso, chame-a.

Geneviève estava no jardim, sentada num banco. Quatro meninas estavam em sua volta. Outras brincavam e corriam.

Ele a viu de frente. Viu seus olhos sorridentes e graves. Uma flor na mão, ela tirava, uma a uma, as pétalas e dava alguma explicação às crianças atentas e curiosas. Depois as interrogava. E cada resposta valia para a aluna um beijo como recompensa.

Lupin olhou-a muito tempo, com uma emoção e uma angústia infinitas. Um punhado de sentimentos ignorados fermentava dentro dele. Tinha vontade de apertar contra si essa bela jovem, abraçá-la e dizer-lhe de todo seu respeito e afeição. Lembrava-se da mãe, morta de tristeza...

— Chame-a — insistiu Victoire.

Ele deixou-se cair sobre uma cadeira balbuciando:

— Não posso... não posso... Não tenho o direito... É impossível... Que ela acredite que estou morto... É melhor...

Chorava, sacudido por soluços, transtornado por um desespero imenso, cheio de uma ternura que nascia dentro de si, como essas flores que morrem no mesmo dia em que desabrocham.

A velha ajoelhou-se e com voz trêmula perguntou:

— É sua filha, não é?

— Sim, é minha filha.

— Oh! meu pobre pequeno — disse ela chorando —, meu pobre pequeno!...

EPÍLOGO

A cavalo — disse o imperador. Corrigiu:

— Ou melhor, a burro — disse ele vendo o magnífico jumento que lhe traziam. — Waldemar, você tem certeza de que este animal é dócil?

— Respondo por ele como por mim mesmo, senhor — afirmou o conde.

— Nesse caso estou mais tranquilo — disse o imperador rindo.

E voltando-se para sua escolta de oficiais:

— Senhores, a cavalo.

Ali, na praça principal da cidade de Capri, havia uma multidão de carabineiros italianos e ao centro todos os burros da região, requisitados para que o imperador visitasse a maravilhosa ilha.

— Waldemar — disse o imperador assumindo a cabeça da caravana —, começamos por onde?

— Pela vila de Tibério, senhor.

Passaram sob uma porta, depois seguiram um caminho mal pavimentado que subia pouco a pouco sobre o promontório oriental da ilha. O imperador estava de mau humor e zombava do enorme conde de Waldemar, cujos pés tocavam o chão, de cada lado do infeliz asno que ele esmagava com seu peso.

Depois de três quartos de hora, chegaram primeiro ao Salto-de-Tibério, rochedo prodigioso de trezentos metros de altura, de onde o tirano atirava suas vítimas ao mar...

O imperador desceu, aproximou-se da balaustrada e lançou um olhar para o abismo. Depois quis caminhar um pouco até as ruínas da vila de Tibério, onde passeou pelas salas e corredores arruinados. Parou um instante.

A vista era magnífica para a ponta de Sorrento e para toda a ilha de Capri. O azul ardente do mar desenhava a curva admirável do golfo e odores frescos misturavam-se ao perfume dos limoeiros.

— Senhor — disse Waldemar —, é ainda mais belo da pequena capela do ermitão que existe no alto.

— Vamos.

Mas o próprio ermitão desceu por uma vereda íngreme. Era um velho, de andar hesitante, costas curvadas. Trazia o registro onde os viajantes geralmente deixavam suas impressões. Colocou o registro sobre um banco de pedra.

— Que devo escrever? — perguntou o imperador.

— Vosso nome, Senhor, e a data de vossa visita... e o que mais queira.

O imperador tomou a pena que lhe estendia o ermitão e abaixou-se.

— Cuidado, senhor, cuidado!

Grandes gritos de terror... um tremendo barulho do lado da capela... O imperador voltou-se. Teve a visão de um enorme rochedo que rolava aos solavancos em sua direção, acima de si.

No mesmo momento foi agarrado pelo ermitão e atirado a dez metros de distância. O rochedo veio se chocar no banco de pedra, diante do qual estava o imperador um quarto de segundo antes, e triturou o banco em pedaços. Sem a intervenção do ermitão, o imperador estaria perdido. Estendeu-lhe a mão e disse simplesmente:

— Obrigado.

Os policiais amontoavam-se em sua volta.

— Não foi nada, senhores... Tudo não passou de um susto... um belo susto, eu confesso... De qualquer forma, sem a intervenção deste corajoso homem...

E aproximando-se do ermitão:

— Seu nome, meu amigo?

O ermitão continuava com o capuz. Afastou-o um pouco, e baixinho, de forma a ser entendido apenas por seu interlocutor, disse:

— O nome de um homem que se sente muito feliz com o fato de ter apertado sua mão, senhor.

O imperador estremeceu e recuou. Depois, dominando-se:

— Senhores — disse aos policiais —, eu pediria que subissem até a capela. Outros rochedos podem estar para cair, e talvez fosse prudente prevenir as autoridades do país. Nós nos encontraremos depois. Quero agradecer a este bravo homem.

Afastou-se acompanhado pelo ermitão. Quando ficaram sós, disse:

— Você? Por quê?

— Queria lhe falar. Um pedido de audiência... teria sido concedido? Preferi agir diretamente e pensava identificar-me enquanto Vossa Majestade assinava o registro... quando esse estúpido acidente...

— Em poucas palavras? — disse o imperador.

— As cartas que Waldemar lhe entregou de minha parte, senhor, são falsas.

— Falsas? Tem certeza?

— Absoluta, Senhor.

— No entanto, esse Malreich...

— O culpado não era Malreich.

— Quem, então?

— Peço a Vossa Majestade que considere minha resposta como segredo. O verdadeiro culpado era a Sra. Kesselbach.

— A própria esposa de Kesselbach?

— Sim, senhor. Ela agora está morta. Foi ela que fez ou mandou fazer as cópias que estão em seu poder. As verdadeiras cartas ficaram com ela.

— Mas onde estão? — exclamou o imperador. — Isso é o que importa! É preciso encontrá-las a qualquer preço! Julgo tais cartas de um valor considerável...

— Aqui estão.

O imperador teve um momento de estupefação. Olhou Lupin, olhou as cartas, levantou novamente os olhos para Lupin, depois embolsou as cartas sem examiná-las.

Evidentemente este homem mais uma vez o desconcertava. De onde vinha este bandido que, possuindo uma arma tão terrível, entregava-a daquela forma, generosamente, sem condições? Teria sido tão simples guardá-las e usá-las à sua vontade! Não, ele prometera. Ele mantinha a palavra.

E o imperador pensou em todas as coisas espantosas que este homem realizara. Disse:

— Os jornais noticiaram sua morte...

— Sim, senhor. Realmente estou morto. E a justiça de meu país, feliz por se livrar de mim, providenciou o enterro dos restos calcinados e irreconhecíveis de meu cadáver.

— Então está livre?

— Como sempre estive.

— Nada mais o prende a coisa alguma?

— Nada.

— Neste caso...

O imperador hesitou e depois disse claramente:

— Neste caso, entre a meu serviço. Eu vos ofereço o comando de minha guarda pessoal. O chefe absoluto. Tereis todos os poderes, até mesmo sobre a outra polícia.

— Não, senhor.

— Por quê?

— Sou francês.

Houve um momento de silêncio. A resposta desagradava ao imperador. Ele disse:

— Entretanto, já que nenhum laço mais vos prende...

— Este não se pode desatar, senhor. E acrescentou rindo:

— Estou morto como homem, mas vivo como francês. Fico espantado que Vossa Majestade não entenda.

O imperador andou de um lado para outro. E recomeçou:

— De qualquer forma quero pagar minha dívida. Soube que as negociações pelo grão-ducado de Veldenz foram encerradas.

— Sim, senhor. Pierre Leduc era um impostor. Está morto.

— Que posso fazer por você? Deu-me estas cartas... Salvou-me a vida... Que posso fazer?

— Nada, senhor.

— Faz questão que eu permaneça como seu devedor?

— Sim, senhor.

O imperador olhou uma última vez este homem estranho que lhe falava de igual para igual. Depois inclinou ligeiramente a cabeça, e sem mais uma palavra afastou-se.

— Majestade, lhe tapei a boca — disse Lupin seguindo-o com os olhos.

E filosoficamente:

— Certo, a desforra é fraca, e teria preferido retomar a Alsácia-Lorena... Mas assim mesmo...

Calou-se e bateu com o pé.

— Lupin, Lupin! Você será sempre o mesmo até o minuto supremo de sua odiosa existência cínica! Seriedade, meu Deus! Chegou a hora de ser sério, ou nunca mais!

Escalou a vereda que levava à capela e parou diante do lugar de onde o rochedo se soltara. Começou a rir.

— A obra foi bem-feita e os oficiais de Sua Majestade nem desconfiaram. Mas como poderiam eles adivinhar que trabalhei nessa pedı , que no último segundo dei um golpe de enxada definitivo, e que a referida pedra rolou seguindo um caminho traçado por mim, entre ela... e um imperador de quem eu desejava salvar a vida?

Suspirou.

— Ah! Lupin, você é complicado! Tudo isso porque jurara que essa Majestade dar-lhe-ia a mão! Você ganhou muito com isso... A mão de um imperador "não tem mais do que cinco dedos", como disse Victor Hugo.

Entrou na capela e abriu com uma chave especial a porta baixa de uma sacristia pequena. Sobre um monte de palha jazia um homem, mãos e pés amarrados, uma mordaça na boca.

— Pois bem, ermitão — disse Lupin —, não demorou muito, não? Vinte e quatro horas, no máximo... Mas como trabalhei bem por sua conta! Imagine que você acabou de salvar a vida do imperador... É a fortuna. Vão construir uma catedral e erguer uma estátua em sua honra... até o dia em que você será amaldiçoado... Indivíduos dessa espécie podem fazer tanto mal (...sobretudo esse a quem o orgulho acabará por virar a cabeça). Tome, ermitão, vista seus hábitos.

Atordoado, quase morto de fome, o ermitão levantou-se titubeante. Lupin vestiu suas próprias roupas e lhe disse:

— Adeus, amigo velho. Perdoe-me por todos esses pequenos aborrecimentos. E reze por mim. Vou precisar. A eternidade escancara suas portas para mim. Adeus!

Ficou alguns segundos na soleira da capela. Era o instante solene onde, apesar de tudo, hesitamos diante do terrível fim. Mas sua resolução era irrevogável, e sem refletir mais, correu, desceu correndo a encosta, atravessou a plataforma do Salto-de-Tibério e passou a perna sobre a balaustrada.

— Lupin, eu lhe dou três minutos para você representar. De que adianta? — perguntará você, se não há ninguém... E você, você não está aí? Não pode representar a última peça para si mesmo? Caramba, o espetáculo vale a pena... Arsène Lupin, peça heroico-cômica, em oitenta quadros... O pano se levanta, sobre o quadro da morte... e o papel é interpretado pelo próprio Lupin... Bravo, Lupin!... Toquem meu coração, senhoras e senhores... setenta pulsações por minuto... E com um sorriso nos lábios! Bravo! Lupin! Pois bem, salte, marquês...

— Está pronto? É a aventura suprema, meu bom homem. Nenhum remorso?

— Remorsos? E por que, meu Deus! Minha vida foi magnífica. Ah! Dolores! Se você não tivesse aparecido, monstro abominável! E você, Malreich, por que não falou?... E você, Pierre Leduc... Eis-me aqui... Meus três mortos, vou ao seu encontro... Oh! Minha Geneviève, minha querida Geneviève... Ah! Está bem, está acabado, velho canastrão?... Espere! Espere! Já vou...

Passou a outra perna pela balaustrada, olhou o fundo do abismo, o mar imóvel e escuro e, levantando a cabeça:

— Adeus, natureza imortal e bendita! *Os que vão morrer te saúdam* ! Adeus a tudo que é belo! Adeus, esplendor das coisas! Adeus, vida!

Atirou beijos ao espaço, ao céu, ao sol... E cruzando os braços, saltou.

* * *

Sidi-bel-Abbès. Caserna da Legião Estrangeira. Perto da sala de informações, uma pequena peça baixa, onde um ajudante fuma e lê seu jornal.

Ao seu lado, perto da janela aberta para o pátio, dois grandes suboficiais, usando termos de gíria, num francês rouco, misturado com expressões germânicas.

A porta abriu-se. Alguém entrou. Era um homem esbelto, de talhe médio, elegantemente vestido. O ajudante levantou-se mal-humorado com o intruso e resmungou:

— Ah! onde está o guarda de plantão?...

— E o senhor, o que deseja?

— Serviço.

Isso foi dito nitidamente, imperiosamente. Os dois oficiais riram tolamente. O homem olhou-os com o rabo dos olhos.

— Em outras palavras, deseja juntar-se à Legião? — perguntou o ajudante.

— Sim, quero, mas com uma condição.

— Condições, bolas! E qual?

— É a de não ficar mofando aqui. Há uma companhia de partida para o Marrocos. Quero fazer parte dela.

Um dos suboficiais escarneceu de novo, dizendo:

— Os marroquinos vão passar em 15 minutos. O senhor se alista...

— Silêncio — exclamou o homem —, não gosto que se divirtam à minha custa.

O tom era seco e autoritário. O suboficial, um gigante abrutalhado, retrucou:

— Eh! fracote, prefiro que me falem em outro tom... Sem o que...

— Sem o quê?

— Ficará sabendo meu nome...

O homem aproximou-se dele, pegou-o pela cintura e atirou-o pela janela, indo cair no pátio. Depois disse ao outro:

— É sua vez. Suma-se. O outro se foi.

O homem voltou-se para o ajudante e lhe falou:

— Tenente, peço que informe o major que Don Luis Perenna, grande da Espanha e francês de coração, deseja alistar-se a serviço da Legião Estrangeira. Vamos, meu amigo.

O outro não me mexeu, confuso.

— Vá de uma vez, rápido, pois não tenho tempo a perder.

O ajudante levantou-se, examinou com um olhar assustado este estranho personagem e saiu. Então Lupin pegou um cigarro, acendeu-o, e em voz alta, sentando-se no lugar do ajudante, disse:

— Já que o mar nada quis comigo, ou melhor, já que no último momento eu não quis o mar, vamos ver se as balas marroquinas são mais compassivas. E além disso, assim mesmo, será mais chique... Enfrentando o inimigo, Lupin! Pela França!